MICHEL BUTOR

R.-M. ALBÉRÈS

MICHEL BUTOR

Deuxième édition,
revue et augmentée

CLASSIQUES DU XXe SIECLE

Editions Universitaires
115, Rue du Cherche-Midi
Paris 6e

Tous droits de reproduction, de traduction
et d'adaptation réservés pour tous pays
y compris l'U.R.S.S.
© by Editions Universitaires, Paris 1964

AVANT-PROPOS

« L'exploration de formes romanesques différentes révèle ce qu'il y a de contingent dans celle à laquelle nous sommes habitués » (Michel Butor : *Répertoire I,* p. 9).

Depuis Debussy jusqu'à la musique sérielle, l'art musical s'est fondé sur des rapports inattendus entre les sons, rapports auparavant tenus pour inadmissibles ; et, si l'on peut toujours être dérouté par quelque œuvre nouvelle ou par quelque supercherie, il n'est personne aujourd'hui qui ne prenne plaisir à l'audition du *Wozzek* d'Alban Berg. De même, des impressionnistes aux plus lassants efforts des « abstraits », les peintres ont modifié et recréé l'optique, les intentions et les sensations élémentaires de leur art. Et, si l'on peut refuser de prendre au sérieux telles improvisations effrénées, tout homme de 1964 s'intéresse à Matisse ou à Klee plus qu'aux peintres académiques de 1880.

Ce « décrochement » entre une vision nouvelle et la construction traditionnelle a été moins complet dans le roman : art si total et si varié que tout peut y coexister de nos jours. Rien dans notre sensibilité ne nous empêche aujourd'hui d'admettre et d'admirer un roman traditionnel de style purement balzacien ou flaubertien, alors qu'un musicien qui « referait » du

Beethoven, ou un imitateur d'Ingres, seraient ridicules en 1963.

Cependant, l'art romanesque aussi a découvert de nouvelles tonalités, une autre manière d'attaquer le réel et de pénétrer dans son épaisseur, et nous avons appris à voir la matière romanesque suivant une optique qui aurait entièrement dérouté nos grands-pères. Proust ne plaisait pas en 1913 ; mais la sensibilité littéraire a suffisamment et insensiblement changé pour qu'on puisse le lire aujourd'hui sans initiation préalable. D'autres formes du roman ont été plus audacieuses, comme l'*Ulysse* de Joyce, où le roman devient plutôt épopée et poème ; elles trouvent des lecteurs. Et encore davantage Faulkner, dont la violence, l'écriture touffue, la plongée dans les consciences, les implications tragiques, étaient pourtant faites pour dérouter.

Depuis 1952, un art romanesque agressivement hétérodoxe s'est plus systématiquement développé en France. Il a frappé les lecteurs, sans les conquérir toujours. Il a eu ses « succès », comme le Prix Renaudot attribué en 1957 à *La Modification* de Michel Butor, avec plus de cent mille lecteurs en France et seize traductions à l'étranger. Il a eu aussi ses conséquences fâcheuses : la multiplication des disciples, des imitateurs, des épigones qui, en *voulant* faire à tout prix du « nouveau roman », ont parfois discrédité ce que l'on plaçait sous cette étiquette.

Si l'on s'intéresse à cet enrichissement, à cette modification de l'optique du roman, *l'œuvre de*

Michel Butor fournira l'initiation la plus aisée, l'exemple le plus clair, et peut-être le plus riche. Parmi ses grands romans, trois au moins peuvent être lus sans étonnement, sans irritation, par un lecteur traditionaliste. Formant transition entre le style traditionnel du roman et un art plus cérébral, plus audacieux, plus sophistiqué, *Passage de Milan* (1954), *L'Emploi du temps* (1956) et *La Modification* (1957), conservent la forme descriptive-narrative. Aussi, peut-on les lire comme des romans classiques ; tout au plus aura-t-on l'impression d'une plus forte minutie, d'une action plus lente, et (sauf pour *La Modification*) d'un moindre intérêt romanesque conventionnel. Cependant, à travers ces trois livres transparaissent des intentions plus complexes, que l'on retrouvera, sous une autre forme, dans des ouvrages d'un art plus sévère, comme *Mobile* ou *Description de Saint-Marc*, dans les analyses critiques de *Répertoire* et de *Histoire extraordinaire*.

Au point de départ (si l'on commence par les trois premiers romans), un romancier-narrateur qui semblera, simplement, un peu appliqué (avec toute la fascination flaubertienne ou proustienne de l'application), mais qui ne déroutera point. A l'arrivée, un artiste « d'avant-garde », qui est au romancier traditionnel ce que le créateur de « mobiles », d'objets à cinq dimensions, est à un sculpteur comme Barbedienne ; un écrivain dont l'art d'écrire rejoint Mondrian, la musique sérielle ou la phénoménologie. Entre ces deux formes d'expression — et cela parce que Butor, artiste abstrus, a choisi d'entrer dans la littérature par le moyen facile du roman —, la tradition se fait insensiblement. Et c'est pourquoi, à partir de nos habitudes littéraires traditionnelles, l'œuvre de Butor peut servir de pédagogie en faveur de l'art nouveau.

Parmi ceux qui, depuis un demi-siècle (car il faut remonter non seulement à Proust, mais à Gide, aux *Faux-Monnayeurs* ou même à *Paludes*), font du roman autre chose qu'un récit bien mené selon des conventions établies, c'est-à-dire, comme du poème, un instrument de surprises, de recherches, d'étonnements, de transformation de la manière habituelle de voir les choses, Michel Butor est un des plus précis et des plus complets : un tempérament d'artiste, bien que très cérébral ; une sensibilité très liée à son époque, et qui ne dédaigne pas l'évocation réaliste de son époque. Et, dans sa tentative de faire du roman (comme Balzac d'ailleurs) une algèbre de la réalité humaine, sociale, psychologique, il montre une grande clarté dans les intentions et les procédés. C'est un romancier qui peut dérouter, ce n'est pas un écrivain qui se cache derrière un rideau de fumée, et éblouit un public de snobs par des innovations gratuites. Et l'on peut évoquer en sa faveur un argument « par l'absurde » : même si Michel Butor n'était pas en définitive un « grand » romancier qui entrera un jour dans les « classiques du roman », quelle que soit en somme la valeur définitive de son œuvre, ses *intentions* et sa tentative resteraient comme un « cas » précis et intéressant, qui a, d'autre part, aujourd'hui, sa valeur d'actualité.

L'œuvre de Butor représente admirablement

une tendance qui est née lentement au cours du XXᵉ siècle pour s'affirmer un peu brutalement en France dans les dernières années : celle qui veut qu'un roman, au lieu de *décrire* la réalité suivant la méthode de description romanesque élaborée par les trois siècles passés, s'applique à *mettre en question* (comme le fait, aujourd'hui, le poème) *notre façon habituelle de voir la réalité.* A ce moment-là, *le roman n'est plus l'analyse du réel, mais l'analyse de notre manière d'interpréter le réel,* ce qui n'est point si paradoxal, puisque la physique moderne a opéré la même conversion. Ni tellement déroutant non plus, puisque la lecture du premier roman de Butor, *Passage de Milan,* reste aisée, passionnante, agréable.

I. — RÉALISME ET ÉSOTÉRISME :

PASSAGE DE MILAN (1954)

Passage de Milan, en 1954, évoque la vie d'un immeuble parisien, de six heures du soir aux dernières heures de la nuit : la vie simultanée des divers habitants, la manière dont ils s'entrecroisent, se rejoignent parfois. Aucun procédé d'écrire trop recherché ne vient rompre une mise en scène et une présentation, somme toute, réaliste. Le lecteur n'éprouvera pas un sentiment de dépaysement, mais plutôt l'impression de pénétrer, peu à peu, dans une réalité complexe mais familière. Et, peu à peu aussi, il découvrira les intentions de Michel Butor.

Il faut suivre ce processus ; la meilleure façon d'aborder un écrivain est d'étudier sa première œuvre significative, son entrée dans la vie littéraire, en remettant à plus tard les éléments biographiques, et le contexte d'histoire littéraire, qui l'expliquent[1]. Et, dès le premier roman de Michel Butor, on trouvera les deux forces qui l'inspirent : s'intéresser à la réalité

---

[1] On trouvera page 44 une biographie de Michel Butor et des indications sur les éléments de sa formation ; et, dans le chapitre VII, *Michel Butor et ses contemporains,* le contexte d'histoire littéraire où prend place son œuvre.

en tant que telle d'une part, mais d'autre part en ressentir si fortement la complexité qu'il est amené à se passionner par l'étude de la manière dont elle nous apparaît, de la manière dont le romancier peut la suggérer, la pénétrer, la fouiller, en découvrir l'architecture secrète.

Passage de Milan semble au premier abord une œuvre purement « *unanimiste* », qui se réduit à évoquer tout ce qui se passe, un soir dans une maison de Paris. A quelque différence de style près, ce pourrait être un tome des *Hommes de bonne volonté*. Non que Butor ait voulu imiter en 1954 le Jules Romains de 1933, et il est même certain qu'il ne s'en est pas inspiré. Simplement une coïncidence fait qu'à plus de vingt ans de distance, deux romanciers soient séduits par l'idée de donner, de la vie collective et simultanée d'êtres qui se croisent et se touchent sans se connaître, une image complexe qui exclut le « récit » unilinéaire d'une « histoire », qui exige plusieurs récits parallèles, et transforme le roman en une série de *coupes géologiques* d'une société ou, comme dans *Passage de Milan*, de cet échantillon d'une société qu'est un immeuble.

C'est bien cette construction d'une coupe stratigraphique et les problèmes techniques qu'elle pose, qui semblent passionner Butor dans ce premier roman dont le sujet est à la fois si simple et si complexe : la reconstitution totale de la vie collective d'une maison de six étages, au numéro 15 du Passage de Milan, une rue imaginaire de Paris ou de la périphérie de Paris.

Par tranches successives, apparaissent les familles qui vivent aux différents étages. D'abord, la calme famille Ralon : la mère de famille, veuve, partageant sa cuisine avec une parente pauvre qui fait office de gouvernante, et veillant sur ses deux fils, les abbés Alexis et Jean Ralon : soutanes et bons sentiments. La famille Mogne : un employé de bureau un peu avachi, deux filles affairées à des riens, deux fils qui sont bien de leur âge, les grands-parents, quelsœurs et beaux-frères : un dîner de famille nombreuse. La famille Vertigues, bourgeois intimidés de l'être. Un « original », cependant, dans la maison : le vieil esthète Samuel Léonard, sa nièce, sa bonne et son giton. Au cinquième, un ménage de peintres.

Chacune de ces cellules familiales superposées a sa vie propre et son petit événement : les Ralon ont invité à dîner leur neveu Louis, qui vit au sixième dans une chambre de bonne. Les Mogne reçoivent aussi ce soir-là leur fille et leur gendre ; les peintres du cinquième ont également une visite... Mais il manquerait cependant des communications, des « passerelles » entre les étages et, pour créer cette relation qui donnera l'impression de la vie collective, l'auteur imagine qu'au quatrième étage, les Vertigues donnent une soirée dansante pour les vingt ans de leur fille Angèle. Les fils Mogne y sont invités, ainsi que Louis Ralon, qui descend donc du sixième pour dîner chez sa tante, et remontera ensuite au quatrième chez les Vertigues. La nièce de Samuel Léonard, Henriette, laissera son oncle recevoir quelques invités discrets pour se joindre aussi à cette soirée de jeunesse. Et la bonne des Ralon vient aider à laver les verres. Les De Vere, qui habitent au cinquième, n'interviendront qu'à la fin... Mais ainsi se produit tout un ensemble de chassés-croisés qui procurent la sensation d'une vie complexe, stratifiée et pourtant mouvante : on a à la fois les étages bien séparés, et le mouvement général de la ruche. Tout l'art consiste alors dans un « montage » où aucune séquence ne soit trop longue, où elles se succèdent de façon à retenir l'intérêt, à le surprendre, à le piquer parfois. Le roman languirait si l'on restait trop longtemps à l'intérieur de telle famille, à tel étage ; il faut varier en passant d'un étage à l'autre, suivre un personnage qui se déplace, et surtout présenter cette masse de personnages avec habileté, sans qu'on les confonde. Par suite, l'auteur organise invisiblement leurs mouvements, fait passer en arrière-plan dans une scène le personnage qu'il décrira plus longuement à la scène suivante, emploie son talent à nous guider dans cette foule sans nous dérouter, s'applique à faire se rencontrer ses marionnettes, organise ce carrousel.

Cet art est celui du metteur en scène. On ne s'intéresse pas ici à la psychologie, à l'observation sociale, aux problèmes moraux ou à la simple intrigue, qui constituent traditionnellement la matière d'un roman, on s'intéresse surtout à l'habileté du romancier. Au fond, le « sujet » de *Passage de Milan* importe peu. Et si l'on en cherche le principal personnage, on s'aperçoit que ce principal personnage est le romancier, invisible, mais qui mène la danse. Plus que de « peindre » un certain massif du réel (un immeuble), il s'agit surtout pour lui d'étudier une certaine façon de dévoiler la réalité. Il cherche des angles de vue, des procédés, des méthodes, et, *plus qu'à la réalité qu'il décrit, il s'intéresse à une certaine manière de la présenter : les*

*procédés du roman le passionnent plus que le
roman lui-même.*

Dès ce premier volume se trouve défini l'art
romanesque de Michel Butor entre 1954 et
1960 : le roman ressemble à un roman *purement réaliste* et psychologique, au sens traditionnel, mais il est présenté selon *une vision si
inhabituelle* qu'il produit une impression *ésotérique.*

En effet, Butor « peint » la « réalité humaine », sur le même plan, en somme, que Balzac.
Il nous présente des personnages en pied, avec
leur costume et leurs coutumes, leur histoire fa-
miliale et sociale (naturellement moins déve-
loppée que chez Balzac), leurs actes et leurs
gestes dans la vie, le décor qui les entoure. Il
les commente et les interprète dans le style du
roman psychologique traditionnel. Voici une
scène de *Passage de Milan* que l'on prendrait
pour du François Mauriac : une mère attendant
le retour de son fils, l'abbé Alexis, et l'accueillant lorsqu'il arrive : « Elle rangea dans un ti-
roir l'ouvrage au crochet qu'elle avait pris à son
retour des vêpres, vérifia l'état de ses ongles, et
lentement, s'habillant d'un sourire pour tenter
de dissimuler la légère inquiétude qu'elle ne
pouvait s'empêcher d'éprouver lorsqu'un de ses
fils allait rentrer, elle traversa sa chambre (...).
Le grand visage de l'abbé Alexis la rassura, fa-
tigué, mais guère plus soucieux que d'habitude.
La verrière qui servait de plafond à la cage de
l'escalier n'éclairait pour ainsi dire plus. On en-
tendait le souffle huilé de l'ascenseur qui des-

cendait. Il l'embrassa. Il claqua la porte derrière
lui. Il tenait son chapeau à la main[2]. »

Passage de Milan emploie les angles de vision
auxquels nous sommes habitués, c'est-à-dire le
style de la narration-description, en le rendant
seulement parfois plus vif par le recours aux
phrases sans verbe : « Sous le regard bienveil-
lant des concierges, Henri Delétang enlève à
Clara son écharpe de soie blanche, et son man-
teau court de faux astrakan. Superbes épaules ;
visage étriqué dans son auréole blonde artifi-
cielle à la star ; mains rapides mais imprécises.
Elle le contemple ouvrir son pardessus comme
un grand coquillage bivalve[3]. » Malgé une présentation syntaxique qui fait appel aux rac-
courcis et aux impressions, toutes ces notations
sont balzaciennes. Les personnages sont placés
l'un devant l'autre comme chez Balzac, et nous
avons sur leur conduite, leur attitude, leurs rapports des explications données par l'auteur, à la
manière balzacienne : « Autrefois Louis tutoyait
Alexis, comme cela se pratique entre cousins ger-
mains, mais depuis qu'ils étaient dans le même
lycée, lui étudiant, l'autre aumônier, il s'efforçait
d'éviter la deuxième personne...[4] ».

La matière et la manière, l'intention immédiatement visible aussi bien que le style, et ce
que l'on pourrait appeler « l'optique » du romancier — ou du lecteur — devant les personnages, sont, dans *Passage de Milan* strictement
« réalistes », et il en sera de même dans les ou-

2 *Passage de Milan*, pp. 10-11, Ed. de Minuit, 1954.
3 *Passage de Milan*, p. 83.
4 *Passage de Milan*, p. 41.

vrages suivants. Mais sur un point — qui en vérité finit par devenir essentiel —, la vision et l'intention de Butor se séparent de la tradition balzacienne sous ses diverses formes : si la *vision* est la même, la *construction* et *l'intention* sont entièrement différentes...

Balzac et les romanciers réalistes ou psychologiques *mènent* leur livre à l'aide d'une *intrigue dramatique,* qui constitue, en somme, un « suspens ». Leur *but* est peut-être de peindre la société, les mœurs, un caractère, une âme, mais leur *moyen* est un « drame », une question posée qui va provoquer et soutenir l'intérêt du lecteur : Eugénie Grandet va-t-elle se marier et échapper à son père ? Etienne Lantier va-t-il, dans *Germinal* réussir à dominer et à organiser les grévistes ? Adrienne Mesurat parviendra-t-elle, chez Julien Green, à échapper à sa prison ? Claude Vanec, dans *La Voie royale*, ramènera-t-il du Laos les sculptures qu'il est allé chercher dans la forêt vierge ? Tous ces livres pourraient se réduire à un « drame » ou à une tragédie ; ils comportent tous une certaine « aventure » qui tient en haleine le lecteur, c'est-à-dire ce que l'on appelle communément une « intrigue ».

Point d'intrigue dans *Passage de Milan* ni dans *Degrés*. Lorsque, un soir, au quatrième étage d'un immeuble parisien, se donne une petite sauterie, on ne se demande pas si le cousin pauvre des locataires du deuxième, Louis, va « réussir » à y aller : il est invité, il y va, ce n'est qu'un des multiples trajets que font, entre les étages, les habitants de l'immeuble. On ne se demande pas ce que va faire le père de famille nombreuse du cinquième, Frédéric Mogne : il ne fait rien, il dîne en famille comme d'habitude. Les événements du roman ne se déroulent pas suivant la technique du drame, et ne font pas attendre un : « Que va-t-il arriver ? ». Il y aura bien, à la fin de la soirée donnée pour les vingt ans d'Angèle Vertigues, un événement violent, un crime, mais il survient par hasard et non comme dénouement d'une action bien menée ; rien ne le laissait prévoir, rien ne nous attachait à lui à l'avance. En ce sens, *Passage de Milan* rappelle *Les Eaux du Jarama,* de Rafaël Sanchez Ferlosio, un des maîtres du « néoréalisme » espagnol : Ferlosio décrit — ou plutôt enregistre — un dimanche-après-midi à la campagne, dans les environs de Madrid, entre calicots et midinettes, un après-midi *où il ne se passe rien,* que des forfanteries, des rires, de l'ennui : à la fin, une fille se noie, mais c'est un accident, non un aboutissement. De même, dans *Passage de Milan,* quelques jeunes gens se préparent, aux divers étages d'un immeuble, à fêter les vingt ans de la jeune fille du quatrième étage. Ils assistent à la fête, et il ne se passe rien. Peu importe (car rien ne l'a annoncé) que, dans les derniers chapitres il y ait aussi un « accident » et une jeune fille morte ; ce n'est qu'une conclusion plus frappante, ce n'est pas le dénouement d'une intrigue ni le développement d'une action dramatique. Le roman n'est pas fondé sur une « histoire » qui, en se corsant et se compliquant, lui donnerait un intérêt dramatique qui nous tienne en suspens. Il est au contraire une description, sans intention visible, sans fil conducteur, du petit remue-ménage d'une soirée dans un immeuble de six étages...

La suppression de toute intrigue de type dramatique (celle qui repose sur le « que va-t-il arriver ? »), fait l'originalité de *Passage de Milan* par rapport au roman réaliste traditionnel et balzacien. Chez Proust non plus il n'y avait, en somme, pas d'intrigue. Mais l'intention descriptive et *unanimiste* de Michel Butor se rapprocherait davantage de Jules Romains et des *Hommes de bonne volonté* : « raconter par l'intermédiaire d'aventures individuelles le mouvement de toute une société[5] ».

Cette évolution vers l'écriture polyphonique est cependant plus marquée chez Butor, et même marquée par d'autres intentions, que chez Jules Romains. Lorsque Jules Romains refuse comme Butor de faire du roman une « histoire » unilinéaire, et se consacre à suggérer la multiplicité de la vie en faisant s'entrecroiser quelques dizaines de personnages qui parfois ne se connaissent même pas entre eux, chacun étant perdu dans ses occupations journalières, il imagine certes, que cet entrelacement subtil de destinées banales constitue une sorte de *puzzle* dont l'image supérieure, parfaite, complète, serait celle d'un destin collectif, presque incompréhensible pour la conscience individuelle. Mais cet *unanimisme*, qui reste humain et modéré chez Romains, devient une fascination pour Butor : au-delà du réalisme et de la peinture collective, Butor cherche à suggérer comme une sorte de jeu d'échecs de la vie collective, où les hommes ne sont que des pions.

En ce sens — un peu ésotérique, un peu mys-

---

5 *Individu et groupe dans le roman, Cahiers du Sud,* fév.-mars 1962 ; à paraître dans *Répertoire II,* Ed. de Minuit.

tique, puisqu'il s'agit alors de surprendre les combinaisons du destin dans les petits mouvements des hommes —, *Passage de Milan* cesse d'être un roman réaliste pour devenir un « pentacle », comme disait Romains : une sorte de jeu, ou de vision de joueur d'échecs, dont on ne sait si elle est inventée par l'homme ou si elle est le mouvement du destin, mais qui procure, sous son aspect complexe et presque mathématique, l'impression d'englober sous son regard ces lois du hasard qui régissent la vie collective.

Cette image d'une réalité composée suivant un certain « symbolisme », et où il faut lire, comme dans le Tarot, des combinaisons mystérieuses et choisies, Butor la suggère d'ailleurs lui-même comme interprétation de son livre.

Tout y est *problème de composition,* comme dans les tableaux les plus élaborés de la Renaissance, comme dans les carrés magiques, les livres d'alchimie, comme sur une stèle égyptienne. Butor l'indique dans *Passage de Milan* en introduisant, dans le livre même, les réflexions, et les problèmes de composition artistique, du ménage de peintres du cinquième étage. « Vous connaissez », dit Lucie de Vere, « dans les salles égyptiennes du Louvre, ce petit tombeau dans lequel on entre, couvert de bas-reliefs illustrés derrière des vitres. Regardez (...) ces groupes d'oiseaux tournant la tête de différents côtés, les corps des marins dans des bateaux successifs, et les porteuses d'offrandes (...). L'artiste de Béni-Hassan *fait passer* d'une danseuse ou d'un guerrier à l'autre par la continuation d'un même mouvement (...). Mais (...) il a mêlé les instantanés successifs de divers combats, *de telle* sorte que les séries de figures s'enlacent dans un immense contrepoint[6] ». Les personnages de *Passage de Milan*, pères de famille, jeunes gens, épouses, domestiques, sont semblablement rangés, par « étages » eux aussi, comme dans la stèle guerriers et danseuses. Et, de même que pour « lire » la stèle de Saqqarah le regard doit se déplacer en diagonale, de même le lecteur de *Passage de Milan* passe d'un étage à l'autre, d'un personnage à l'autre, « par la continuation d'un même mouvement » : un geste de l'abbé Ralon, au premier étage, permet « d'enchaîner » sur un geste semblable que fait, au troisième, Samuel Léonard ; et ainsi « les séries de figures s'enlacent dans un immense contrepoint ».

La subtilité et le calcul dans la « composition », sont d'ailleurs soulignés et signalés, dans le livre même, par un autre exemple : c'est le peintre Martin de Vere qui, dans son atelier, a commencé un vaste panneau divisé en carrés de couleur ; et il travaille à aménager son tableau en logeant, par des signes symboliques et des touches de couleur, sur cette sorte d'échiquier, les figures du jeu de cartes, rois, dames, valets... Le panneau deviendra ainsi une vaste et très cérébrale « composition », et c'est par ces appâts de l'imagination, par ces symboles (échiquier, figures de cartes), que Martin de Vere cherche — comme les peintres italiens du XVe et du XVIe par une géométrie à la Vinci —, une *logique artistique*, un « arrangement », qui soit *à la fois construction humaine et moyen de représentation du réel*.

Michel Butor emploie dans son roman le mê-

---

[6] *Passage de Milan*, p. 112.

me procédé ; les étages de l'immeuble, les diverses pièces de chaque appartement, constituent un échiquier où se déplaceront des pions, des figures ayant la valeur de roi, de reine, de fou, de tour, chefs de famille, épouses, abbés, jeunes garçons, jeunes filles, servantes.

Ce procédé fait songer à la « construction » des tableaux de Mondrian. Et Butor publiera en effet en 1961 un article sur Mondrian[7], comme il a écrit en 1959 une étude sur un tableau du Caravage, qui montre bien que la structure de son imagination s'apparente à celle d'un peintre... Et, en effet, lorsqu'il analyse le Caravage et « La corbeille de fruits », il étudie, comme Martin de Vere dans *Passage de Milan*, la technique et la structure du tableau, y découvrant « une profondeur non-mesurable », ou constatant que « les rayons lumineux, parallèles au plan du tableau, font que les objets se portent ombre mutuellement par rapport à notre regard[8] ». Or n'emploie-t-il pas des procédés semblables dans son roman, où les personnages aussi se portent ombre les uns sur les autres ?

Cet art et ces intentions, si différentes des habitudes du roman traditionnel, évoquent l'idée d'une composition *savante, ésotérique,* comme si *Passage de Milan* était un roman à clef, un roman chiffré[9].

---

7 *Le Carré et son habitant,* N.R.F., janvier-février 1961.
8 *La Corbeille de l'Ambrosienne,* N.R.F., déc. 1959.
9 On y trouverait bien d'autres symbolismes. Par exemple celui du titre *Passage de Milan* ne fait pas seulement allusion à une voie parisienne, où un immeuble porte le numéro 15. La fin du livre, le drame et l'assassinat qui se produisent à la fin de la soirée, donnent l'impression du *passage*

En insérant dans *Passage de Milan* quelques pages où se devine l'idée que tout roman est une symbolique, Michel Butor nous a livré, en sous-entendu, et en peu de lignes, une « théorie » de son livre ; remarquons que Balzac ou Tolstoï le faisaient, en somme, de manière plus visible et plus pédante, parfois en plusieurs chapitres...

Rien ne manquerait à *Passage de Milan*, pas même le « drame » de la fin, assasinat et mystère policier, pour être un roman « normal », tissé de la vie commune, raconté comme raconte un romancier. Mais un autre intérêt s'y mêle : c'est que l'on sente, derrière cette étude sociale et psychologique, derrière ce grouillement organisé de vie, les fils invisibles d'une algèbre musicale et rigoureuse.

d'un oiseau de proie, comme aigle, épervier, *butor* ; dans les nomenclatures d'oiseaux, le milan (bien qu'il ne soit pas un oiseau de proie), suit le butor. Jeu de mots, jeu d'esprit, certes ; mais l'alchimie, et toutes les pensées ésotériques, ont fait appel à ces jeux.

II. — LABYRINTHES EN RELIEF :

« L'EMPLOI DU TEMPS » (1958)

Une algèbre musicale, une « composition » ésotérique cachée sous un « récit » apparemment réaliste, telle est la structure des premiers romans de Michel Butor. Ils offrent ainsi un double attrait : ils peuvent être lus comme des romans réalistes, comme une « histoire » toute semblable à celle du roman traditionnel. Et pourtant ils laissent deviner derrière ce récit un sens second, un sens caché, une énigme symbolique que ce récit nous propose. Ce sont *à la fois* des romans réalistes et des romans ésotériques et c'est bien en ce sens que, aux lecteurs de romans réalistes, ils peuvent servir d'initiation et d'information sur le roman ésotérique actuel.

Rien d'autre, dans L'*Emploi du temps,* en 1956, que la très lente description, et le « journal intime » de l'année de stage qu'un employé de banque français, Jacques Revel, va passer dans la ville anglaise de Bleston. Quant au roman le plus célèbre de Butor, *La Modification,* en 1957, il évoque, résume et décrit, tout simplement les quelque vingt-deux heures de chemin de fer qu'un Français moyen, Léon Delmont, emploie pour aller de Paris à Rome en

3e classe (nous sommes en 1957) retrouver sa
maîtresse, et pour décider, pendant ce trajet,
qu'il ne vaut pas la peine d'abandonner sa femme en faveur de sa maîtresse.

Ce sont apparemment, deux thèmes parfaitement réalistes. Chacun des deux romans est
narré à travers l'homme qui en constitue le personnage principal. Tout y est clair, qu'il s'agisse, dans *l'Emploi du temps,* d'un employé-sta-
giaire de banque esseulé dans une ville nordique, ou, dans *La Modification,* d'un représen-
tant de commerce qui, au cours d'un long voyage en chemin de fer, réfléchit sur sa vie. Ces
deux sujets auraient pu être traités par Balzac.
Et nous pouvons parfaitement lire ces deux livres comme nous lisions des romans balza-
ciens. Tout y est : l'atmosphère de Manchester,
la solitude d'un Français isolé dans une ville
anglaise, ou bien, dans *La Modification,* l'am-
biance close d'un compartiment de grand express international, avec les figures pittores-
ques des autres voyageurs : le couple de jeunes
mariés, l'ecclésiastique, l'Anglais, le voyageur
prétentieux en costume de *tweed* voyant... Et
c'est seulement de manière insensible que ces
romans très simplement narratifs et descrip-
tifs, qui livrent au premier abord une réalité humaine bien familière, donneront une impression
d'énigme.

L'Emploi du temps semble construit à partir
de la réalité la plus banale, et (sans jamais sortir de cette réalité), pour faire naître et imposer peu à peu l'impression que la réalité est encore ce qu'il y a de plus mystérieux pour l'hom-

me... Aucune fantasmagorie, mais l'épaisseur
de la vie, l'invisible complexité de l'existence.

Le livre commence comme pourrait commen-
cer un film : dans une nuit déjà avancée, un
Français qui sait à peine prononcer l'anglais
débarque, d'un train poussiéreux, au milieu de
la brume, avec une valise dont la poignée vient
de casser, dans une ville anglaise énorme,
étrangère, silencieuse, inconnue. Il sort de la
gare, il erre dans la cité déserte, ne trouve aucun
hôtel, — il y en a là, pourtant, à deux pas, il s'en
apercevra le lendemain, — et revient, découragé,
vers la gare... Après avoir terminé sa nuit sur la
banquette de la salle d'attente, il affronte la
ville étrangère où il va travailler pendant un an.

Au matin, il se présente chez *Matthews and
sons,* une triste officine de commerce où neuf
dignes et pauvres hères travaillent tous les
jours de la semaine, chacun derrière une table.
Employé de commerce, Jacques Revel est venu
faire un stage en Angleterre. *Matthews and sons*
lui donne un jour de congé, et l'envoie dans un
hôtel triste et humide, qui s'appelle *L'Ecrou.*
Puis Revel prend son service dans le bureau
au neuf écritoires, mâche chaque jour au restaurant une nourriture insipide, rentre dans sa
triste chambre où il n'a même pas de table.
C'est le début d'un roman réaliste et lent, où
l'homme est noyé dans les brumes de l'existence la plus quotidienne... Et pourtant cette solitude, cette demi-détresse sont exprimées avec
tant de précision que, comme chez Kafka ou
Julien Green, elles hantent le lecteur. Tout est
décrit comme chez Balzac, mais avec une plus
cruelle minutie, qui rend la réalité plus dure,
plus inquiétante — comme dans certains ta-

bleaux de Bernard Buffet : « Je suis allé à la
station toute proche prendre le bus 23, sachant
déjà que tous ceux dont le numéro commence
par un « l » ont pour terminus la place de l'Ancienne Cathédrale, par un « 2 » la place de
l'Hôtel-de-Ville (...). Défilaient à ma droite, dans
Continent Street, l'embranchement de Willow
Street, puis Willow Park (...), puis à gauche le
grand catafalque néo-gothique de l'Université
avec le beffroi (...). C'était l'heure de la pleine
foule et le plomb du ciel commençait à fondre sur
les files des habitants de Bleston en imperméa-
bles couleur de son mouillé ou d'algues mor-
tes[1]. »

Ce monde banal, avec ces précisions, l'application et l'entêtement même de la description,
devient un monde obsédant, où se noie la conscience de Jacques Revel. Et en un sens tout le
livre est la lutte de l'homme et de la ville : « Je
sentais en Bleston une puissance qui m'était
hostile (...) ; c'est pourquoi je suis entré chez
Philibert's, dans l'intention d'y acheter une sorte de talisman, un objet fait à Bleston et dans la
matière de Bleston, que je pourrais porter sur
moi comme signe protecteur, un mouchoir de co-
ton que j'ai toujours[2] ».

L'art de *L'Emploi du temps* consiste à rendre
le réel de plus en plus dense et sourdement énigmatique... Ce Français qui s'ennuie et patiente
dans un exil nordique est lentement saisi par
une curiosité, à la fois naturelle et obsédante,
due à son désœuvrement hors des heures de
travail : il se prend d'une passion sourde pour
Bleston, pour cette énorme Ville ennuyeuse,

---

[1] *L'Emploi du temps*, pp. 52-53, Ed. de Minuit, 1956.
[2] *L'Emploi du temps*, p. 53.

compacte, incompréhensible, où il habite par
hasard. Il veut la pénétrer, la comprendre, entrer dans ses secrets — si elle en a.

Or, tout est gris autour de lui. Tout est or-
donné aussi. S'il veut vagabonder, Revel ne
trouve d'autre compagnie qu'un noir, aussi dépaysé que lui dans cette cité sombre, et qui l'en-
traîne dans une équipée digne des désespoirs du
jeune Kafka dans les nuits de Prague. Un jour
pourtant, un habitant de Bleston, son collègue
de bureau chez *Matthews and sons*, James Jenkins, se décide enfin à l'inviter chez lui, dans
l'appartement où il vit avec sa mère... Mrs Jenkins est — on pouvait s'y attendre — une
vieille dame imposante, fine, sévère, bornée, et
un peu mystérieuse... Mais en accueillant chez
elle un être aussi incongru à Bleston qu'un
Français un peu nerveux, elle l'a sacré chevalier, elle lui a ouvert les portes de ce secret que
sont l'ennui et le mystère de l'Angleterre. Elle
est la *fée* qui modifie la vision du monde, car
« cette parole sur le seuil (...), cette parole par
laquelle Madame Jenkins, en m'invitant à re-
venir le samedi suivant, m'avertissait que j'avais
réussi à m'introduire dans une des fêlures de
ce mur de verre trouble qui me séparait de la
ville[3] » — cette parole engage enfin Revel dans
l'aventure.

Dans la vie terne que Jacques Revel mène à
Bleston, le « merveilleux » s'introduit à partir
de ce moment par une double coïncidence : un
roman policier acheté par hasard, une visite à
la cathédrale d'autre part.

[3] *L'Emploi du temps*, p. 52.

Le Meurtre de Bleston, tel est le titre du roman policier que Revel acquiert par curiosité
dans une librairie. C'est un livre bien fait, un
peu inquiétant, où un fratricide est commis, dans
la Cathédrale de Bleston, précisément, juste au-
dessous du vitrail qui représente le meurtre
d'Abel par Cain : le sang de la victime coule,
exactement, sur le pavement où le soleil projet-
te la teinte rougeâtre du sang d'Abel tel qu'il
est figuré sur le vitrail. Ainsi le crime imaginaire du romancier semble répéter le crime bibli-
que.

Hanté par ce livre où Bleston apparaît comme
une ville aussi énigmatique qu'elle lui semble à
lui-même, Jacques Revel le prend comme guide
dans ses promenades, dans les efforts qu'il fait
pour pénétrer dans la réalité blestonienne, vi-
sitant les lieux où ont vécu la victime, l'assassin, le détective, s'asseyant à la table de restaurant où, dans le roman, ils ont déjeuné... Et
ainsi, ce que l'on pourrait appeler « l'intrigue »
de *L'Emploi du temps,* se dédouble ; au roman
policier de J. C. Hamilton, intitulé *Le Meurtre de
Bleston,* se superpose le roman policier du Français Jacques Revel faisant pélerinage sur les
lieux de l'action, et cherchant à découvrir, parmi
les habitants de Bleston, l'homme qui a écrit ce
roman sous un pseudonyme...

Cette double énigme, cette double enquête, fi-
nissent par englober tout un groupe humain :
les quelques amis de Revel à Bleston, à qui il
prête le livre, leur curiosité étant éveillée, sont
amenés, eux aussi, à le commenter, à tenter de
deviner qui en est l'auteur. Des fils se croisent
et s'entrecroisent, car les jolies Ann et Rose
Bailey, à qui Revel s'est lié, croient reconnaître

la maison où, dans *Le meurtre de Bleston,* habite l'assassin fratricide et, précisément, l'occupant de cette maison la partageait autrefois avec son frère, mort dans des circonstances douteuses... Il n'est pas jusqu'au collègue de bureau de Revel, James Jenkins, qui ne se trouve lié à ce roman policier écrit par un homme de sa ville natale, mais qu'il n'avait pas lu jusque là. Car *Le Meurtre de Bleston* se déroule autour de la Nouvelle Cathédrale, une œuvre baroque du XIX⁰ siècle dont l'architecte était le grand-père de James... Toute une série de coïncidences se tisse entre cette histoire fictive qu'est le roman policier acheté par hasard, et la vie même de Revel à Bleston, au point que le mythe finit par envahir la réalité, créant une impression d'envoûtement, laissant croire que l'intrigue imaginaire a des correspondances dans le réel — tandis que l'auteur du roman, que Revel a fini par découvrir, passe et repasse mystérieusement à travers cette enquête menée sur son œuvre...

Ainsi Jacques Revel, le Français d'abord solitaire dans la triste ville anglaise, va peu à peu la découvrir et la pénétrer en utilisant comme fil conducteur non pas un guide de tourisme, mais un roman qui semble le symbole et le mythe de la vie blestonienne, un roman qui peu à peu se mêle à la réalité. Et cette superposition, ce dédoublement, cet envahissement de la vie quotidienne par le mythe, recréent alors les conditions du « merveilleux ». Sans que l'on abandonne le plan de la réalité, cette réalité est transformée par l'énigme que l'on pressent en elle, et la ville aux murs gris, tristement affairée, peuplée de *pubs* et de restaurants médio-

cres, devient en un certain sens une forêt enchantée, comme la forêt de Brocéliande.

On trouvait la même transposition dans *Le
Grand Meaulnes,* où un canton solognot, en réalité boueux et peuplé de paysans naïfs, se transforme en pays de rêve, en contrée enchantée où
des paladins de quatorze ans, comme dans *La
Quête du Graal,* courent à travers des merveil-
les, des mystères, des énigmes... La seule différence est qu'Alain Fournier situait dans une
campagne reculée de la fin du XIXᵉ siècle son
Perceval, ses forêts enchantées ou ses châteaux
mystérieux, alors que Jacques Revel, dans
L'Emploi du temps, va revivre cette aventure
dans la vie moderne la plus actuelle, au milieu
du XXᵉ siècle : dans une grande ville médiocre,
indifférente, sans poésie au sens habituel du
mot.

Mais le schéma est le même. Comme Perceval
ou Lancelot le faisaient dans un monde chevale-
resque et agreste, comme le faisait Augustin
Meaulnes dans un monde paysan idéalisé, le
chef-comptable Jacques Revel va chercher dans
Bleston (Manchester), au milieu des fumées
d'usines, dans la fourmilière humaine des petits
bourgeois, une sorte d'aventure « merveilleu-
se » : l'entrée dans une forêt d'embûches, où il
faut déchiffrer des « signes » et des énigmes,
où le « chevalier » est soumis à des « épreu-
ves ».

On ne s'en apercevra pas tout de suite en lisant le livre. Il ne s'y agit jamais que de la vie
quotidienne d'un Français dépaysé dans une
Angleterre très anglaise et très urbaine. Et
pourtant, on sent progressivement que la « no-
tation réaliste », si banale, qui constitue la tra-

me du roman, est peu à peu envahie, sourdement, invisiblement, par ce rêve : sous l'apparence du roman réaliste, appliqué, minutieux,
Butor *cache un roman mythologique*. Sous ce titre sévère qu'est *L'Emploi du temps* se déguise
une mythologie qui est en somme celle de la
quête du Graal mêlée à celle du roman policier.
Forme moderne, et entièrement moderne, de l'esprit mythologique et du sens du merveilleux : car
le merveilleux exigeait traditionnellement des interventions extérieures, un mystère extra-humain, et souvent surnaturel... Butor tente, lui,
comme André Dhôtel, de recréer le merveilleux
à l'intérieur du réel, comme une structure possible du réel : l'aspect que le monde peut prendre pour un esprit curieux, attentif à la complexité du réel et capable de découvrir en lui
des formes, des liaisons, des coïncidences, des
enchaînements qui créent une fascination parce
qu'elles ne sont pas immédiatement percepti-
bles au sens commun, à notre vision routinière et habituelle de la vie et du monde.

Ainsi Jacques Revel enquête à Bleston sur un
roman policier et sur les rapports de ce roman
avec la vie réelle ; on pourrait presque dire que
L'Emploi du temps est le roman policier d'un
roman policier. L'intrigue forme une sorte de
labyrinthe — Revel se compare d'ailleurs à Thésée — où se heurtent les personnages de la réalité et ceux de la fiction. A tel fratricide imaginaire (d'ailleurs commis sous le vitrail représen-
tant Abel tué par Caïn) se superpose tel fratricide réel ; les personnages se poursuivent les uns
les autres... *Mais à ce labyrinthe dans l'espace se*

superpose un labyrinthe dans le temps. Car pour
mettre en œuvre ce récit où tout doit s'emmêler
et tourner en rond, Michel Butor ne pouvait employer la technique habituelle du récit : suivre
l'ordre chronologique, raconter, du mois d'octobre au mois de septembre de l'année suivante,
l'année que Jacques Revel passe à Bleston, sa
découverte progressive de la ville, et l'envoûtement qu'il y subit. Cet envoûtement devient plus
complet, et le labyrinthe devient un double labyrinthe, dans l'espace et dans le temps, dans
la mesure où toute l'histoire est vécue à travers
plusieurs épaisseurs de temps.

L'Emploi du temps est en effet le journal,
écrit à la première personne, ou Jacques Revel
transcrit son expérience de Bleston depuis octobre jusqu'au mois de septembre suivant. Mais
ce journal n'est commencé qu'au mois de mai,
et c'est donc en mai que Revel décrit son arrivée à Bleston au mois d'octobre de l'année précédente, datant ces pages : « Mai, octobre »,
comme plus tard il écrira « Juin, novembre »
pour des notes rédigées en juin sur les événements du mois de novembre passé... Peu à peu,
le « journal » du présent se mêle au journal du
passé : « Avant-hier, 7 juin, je transcrivais mes
souvenirs d'un dimanche vieux de sept mois,
tout replongé dans l'air misérable de ce début
de novembre. C'était la première fois que je
consacrais l'après-midi d'un samedi à cette re-
cension des heures passées, (...) à cette fouille,
ce dragage...[4] ». Ce que transcrit Jacques Revel
est du passé, un passé où il se replonge à partir
d'un présent qui, de plus en plus, intervient

[4] *L'Emploi du temps*, p. 83.

dans le récit et nous fait vivre à la fois en deux moments différents : « Le lendemain, j'ai continué, puis peu à peu presque tous les soirs de la semaine depuis, m'enfermant dans cette recherche que je ne prévoyais, certes, ni si lente ni si dure[5]. »

Et le journal se poursuit sur deux plans parallèles, il est l'histoire d'un homme qui vit en relisant sa vie. Le récit est alors commencé simultanément non pas à ses deux bouts, mais à deux endroits différents, comme si l'on avait piqué une fourche dans la durée, et l'une de ses dents suit le trajet de novembre à janvier, tandis que l'autre suit le trajet de juin à août. Entre les deux, il manque alors au lecteur les mois de février à avril ; nous savons certes comment avait évolué en mai telle situation que nous avons pu suivre, d'autre part, jusqu'à janvier, mais un certain nombre de faits intermédiaires nous échappent, et, par là, se crée un certain *relief*.

Car tout relief implique une dénivellation. Si le lecteur peut reconstituer entièrement, logiquement et chronologiquement, la suite des événements contés dans un roman, il n'a que la sensation d'une progression, non celle d'une complexité. Tout y est trop bien enchaîné, trop bien expliqué et explicable, alors que, dans la réalité même, lorsque nous cherchons à reconstituer (en rêvassant par exemple) notre vie et notre conduite passées, n'est-il pas vrai qu'au lieu de procéder de manière biographique en suivant un processus continu, bien plus souvent, comme Jacques Revel dans *L'Emploi du temps*,

[5] *L'Emploi du temps*, p. 186.

nous raccordons tel mois de mai à tel mois de
novembre précédent, sans chercher, sans songer
à étudier la durée qui les sépare ?

Ce sont ces rapprochements incongrus, ces
fulgurances, que reproduit dans sa méthode narrative apparemment compliquée *L'Emploi du
temps* ; ce saut brutal dans le passé qui est celui de la mémoire. De même Marcel, le narra-
teur-analyste de *A la recherche du Temps perdu*,
en trébuchant à Paris sur le pavé de la cour des
Guermantes, se trouve reporté dix ans plus tôt
au moment où il trébuchait de la même manière sur le dallage inégal de Saint-Marc de Venise.
Le présent est éclairé par le passé, le passé par
le présent, de sorte qu'on n'est ni tout à fait
dans le présent ni tout à fait dans le passé. Ainsi
Jacques Revel revoyant en juin son Bleston de
novembre : « All Saints Gardens, la rue des
sœurs Bailey (mais en novembre il n'était jamais
encore allé chez les sœurs Bailey), All Saints
Church (...), le quartier tout entier, tous ces
noms de lieux que je repassais dans ma tête et
que j'écrivais ces jours-ci, me rappelaient que le
1er novembre est une fête (...), mais comme je ne
parvenais pas à retrouver ce que j'avais fait ce
jeudi-là (...), ce qui avait pu m'empêcher de sa-
tisfaire (...) l'envie d'aller examiner ce grand vitrail que j'avais seulement aperçu lors de ma
première visite (à la Cathédrale), ce grand vitrail que j'étais bien sûr de n'avoir revu que le
dimanche suivant (...) mais que je serais certainement allé regarder le samedi si je n'avais
dû me rendre au quartier général de la police
où l'on m'a établi cette carte d'identité qui porte la date du 3 novembre (...), j'en étais arrivé
à me demander si la Toussaint, le jour des fan-

tômes, avait été vraiment férié...⁶ ». On reconnaît-là — même si nous devons couper la phrase, car elle fait trente-cinq lignes —, l'allure de Proust, la phrase de Proust. Mélange des temps, entremêlement du souvenir et de l'instant présent, où se superposent des images différentes de la ville, l'aspect qu'avait un quartier inconnu lors de la première visite, et celui qu'il a pris en devenant familier. Tel restaurant est « celui où je n'avais pas encore déjeuné avec James Jenkins », tandis que les personnages même, saisis à des moments différents, n'ont jamais une valeur précise, comme dans une pièce où l'on aurait mêlé le quatrième acte et le premier. Le présent hante le passé, le passé hante le présent, et la conscience se trouve dans l'entre-deux, cherchant à démêler, à reconstruire... Mais c'est dans la mesure même où elle n'y parvient pas totalement qu'elle donne l'impression de l'épaisseur du temps, de la profondeur de l'existence, et qu'ainsi notre vie déjà vécue, échappant à une emprise totale, prend la forme d'un labyrinthe dont l'Ariane est la mémoire, dont nous sommes le Thésée, dont le Minotaure est peut-être la mort.

Evoquant dans ses romans une réalité familière, mais étrange dans la mesure où elle est touffue, impénétrable et régie par des lois ésotériques, Michel Butor y place toujours, en filigrane, une image symbolique, qui n'en constitue pas la clef, mais qui est chargée de suggérer, par homothétie, la complexité du fragment

⁶ *L'Emploi du temps*, p. 67.

d'univers que l'auteur tente d'explorer. Dans
Passage de Milan les déplacements, au cours
d'une soirée, des locataires d'un immeuble de
six étages étaient comparés au jeu des pions
sur un échiquier. Dans *L'Emploi du temps,* qui
a pour sujet les démarches, les efforts, les recherches, les petites énigmes, on pourrait presque dire les enquêtes et les « filatures » qu'un
Français exilé entreprend dans une grande ville
étrangère pour en cerner l'âme, le mystère et la
vie familière, c'est le roman policier qui sert de
symbole. La vie de Jacques Revel à Bleston, une
fois qu'il est devenu amoureux du mystère de
Bleston et de l'âme de la ville, ressemble à un
roman policier ; c'est pourquoi, symboliquement, un roman policier est placé au centre du
livre, celui qu'il achète par hasard dans une librairie et qui, par l'anonymat de son auteur (à
la place de sa photographie, on a laissé un cadre en blanc), constituera une énigme supplé-
mentaire pour Revel et pour ses amis bleston-
niens.

Car le schéma même du roman policier, sa
structure, la philosophie du roman policier (que
Butor développe au milieu de son livre), sont le
symbole même de l'aventure où se trouve en-
gagé Revel lorsqu'il s'est juré de démasquer, de
pénétrer, de révéler la vie secrète de la ville où
le sort l'a jeté.

Le roman policier (et *L'Emploi du temps* est
un roman poétique qui utilise la structure du
roman policier) représente selon Michel Butor
« l'apparition à l'intérieur du roman comme
d'une nouvelle dimension[7] ». Parce que nous

7 *L'Emploi du temps,* p. 161.

savons, dans un roman policier, que les faits
inexplicables des premières pages sont déjà expliqués par l'existence des dernières, où le coupable sera découvert et mis à mort, « ce ne sont
plus les personnages et leurs relations qui se
transforment sous les yeux du lecteur, mais *ce
que l'on sait* de ces relations et même de leur
histoire, l'aspect final, l'aspect fixe de celle-ci,
sanctionné (...) par l'anéantissement du coupable ». Et ainsi, « l'aspect final (n'apparaît)
qu'après et au travers d'autres aspects, de telle
sorte que *le récit n'est plus la simple projection
plane d'une série d'événements, mais la restitution de leur architecture, de leur espace, puisqu'ils se présentent différemment selon la position qu'occupe par rapport à eux le détective
et le narrateur*[8] ». De cette structure du roman
policier, où le crime inexplicable est déjà do-
miné par l'attente du crime expliqué, s'inspire
L'Emploi du temps, où le mois de janvier, par
exemple, n'existe qu'à travers le mois d'août où
Revel écrit ses souvenirs de janvier... Sans cesse, au récit d'un événement passé se superpose
l'idée des conséquences qu'il a produites dans
le présent. L'amour que Jacques Revel ne sait
pas déclarer à Rose Bailey en mai, nous ne le
connaissons qu'en septembre, lorsque Rose est
déjà fiancée à un autre ; et ainsi cet amour
prend le relief pathétique des amours perdues...
Sensation qui paraît difficile à communiquer
dans le roman, où nous nous sommes habitués,
par tradition, à un récit linéaire, mais qui est
au fond plus proche de la réalité vécue que ne
l'est le roman traditionnel... Car, en fait, les

---

8 *L'Emploi du temps,* p. 161.

événements de notre vie ne prennent pour nous
leur sens et leur résonance que lorsqu'ils sont
passés, et déjà vus à travers une certaine épaisseur. La conscience est toujours en retard, et
lorsque nous disons « je suis amoureux », c'est
déjà un retour en arrière, un « j'étais amoureux ».

Michel Butor refuse ainsi le présent ponctuel
du roman conventionnel, qui s'exprime par :
« A la fin de telle journée, je fis tel geste. Elle
me répondit... Puis le lendemain... ». Il y substitue : « Je *faisais* tel geste. Et elle m'avait ré-
pondu... car le lendemain, nous nous retrou-
vions dans ce lieu où je suis aujourd'hui. » Le
présent est vu à travers le passé, le passé à travers le présent (et l'imparfait à travers le passé
antérieur), comme, d'ailleurs, en fait, dans la
réalité : à part quelques gestes instinctifs, comme celui de l'homme qui se noie (mais ils sont
alors inconscients, et ils ne seront jamais *connus* que par la mémoire, qui revient sur eux),
nous ne vivons jamais entièrement dans le présent, ni, bien sûr, dans le passé, car tout instant
consciemment vécu est un mélange de passé et
de présent.

Ce serait là des réflexions de professeur ou
d'élève de Philosophie, et nous les avons tous
faites à un certain moment du programme de
la classe de Philo. Ce qui est nouveau, c'est que
Butor les fasse sortir de leur cadre scolaire,
qu'il soit le premier professeur de philosophie
à les exprimer concrètement.

Non seulement de manière concrète, mais
aussi à travers un mythe. Car, ce jeu du présent
et du passé, il l'exprime, à son habitude, par
un symbole : celui du roman policier, auquel il

donne un sens *sacral*. Comme la *corrida* — lutte
rituelle entre l'homme et le taureau, qui doit se
terminer par la mort du taureau (avec cependant le « fais-moi peur » qui serait la possibilité de la mort du *matador*), le roman policier
est aussi un *drame rituel*, « sanctionné par
l'anéantissement du coupable[9] ». Car « tout roman policier est bâti sur *deux* meurtres dont le
premier, commis par l'assassin, n'est que l'occasion du second dans lequel il est la victime
(...) du détective qui le met à mort[10] ».

Comme la tragédie — dont l'image est *Œdipe-
Roi* où Œdipe meurtrier de Laïos *doit* être
« tué » à son tour par la révélation que porte
en lui le détective Tirésias — le roman policier
est un effort pour faire se rejoindre symboliquement deux moments de la durée, le crime et
sa punition (l'un ne pouvant exister sans l'autre), et pour communiquer par conséquent au
lecteur cette impression de *lien fatal* entre deux
événements qui crée cette sensation de *durée,
d'existence,* et de *destin,* par laquelle la liaison
du présent et du passé est suggérée dans toute
sa force.

En effet, dans le roman policier, « le récit est
fait à contre-courant, ou plus exactement *il superpose deux séries temporelles :* les jours de
l'enquête qui commencent au crime, et les jours
du drame qui mènent à lui[11] ». D'une part nous
suivons l'enquête du détective, qui se déroule,
par exemple, d'avril à septembre ; et, *à l'intérieur de cette enquête,* nous reconstituons par
fragments, avec le détective, une autre série

9 *L'Emploi du temps*, p. 161.
10 *L'Emploi du temps*, p. 147.
11 *L'Emploi du temps*, p. 171.

d'événements, les mouvements du criminel de novembre à mai par exemple. Le roman policier *superpose deux histoires, celle du crime et celle de l'enquête,* la première n'apparaissant, péniblement, qu'à travers la seconde. De même, dans *L'Emploi du temps,* c'est en vivant les mois mai-septembre que Revel reconstitue dans son journal les mois octobre-mai qu'il a déjà vécus. Exactement comme, dans la réalité, pour comprendre par exemple comment telle personne est en train de se détacher de nous en mai-juin, nous repensons continuellement au moment où nous avons fait sa connaissance et où elle s'était attachée à nous en janvier-février. Une aventure qui se termine n'existe que par la façon dont elle avait commencé, et son début reste donc « présent » dans la fin. L'erreur du roman qui raconte une histoire en suivant le calendrier est de ne pas tenir compte de la présence du passé. Il ne sert à rien d'écrire un roman soit au présent, soit au passé. Pour Butor, il faut l'écrire *à la fois* au présent et au passé (perfectionnant ainsi le procédé déjà bien connu du « retour en arrière »), le passé revenant au présent, et le présent revenant sur le passé. Et ainsi, en créant un certain envoûtement dont la rançon est une lecture plus difficile, mais une plus grande fidélité et une plus forte obsession, un plus fort sentiment de « présence », le roman cesse d'être une ligne pour devenir, non seulement dans l'espace, mais aussi dans le temps, un labyrinthe.

III. — MYTHOLOGIES ROMANESQUES :

LE ROMAN TRANSCENDANTAL

Lorsqu'il compose un roman comme une stèle (*Passage de Milan*) ou comme une tragédie antique délayée dans la vie d'un petit employé (*L'Emploi du temps*), Michel Butor peut dérouter un certain nombre de lecteurs. Et ces derniers peuvent croire qu'il s'agit d'un jeu et d'un artifice, et non d'une *nécessité* de la part de l'artiste, du romancier.

Pourtant, depuis cinquante ans, tous les peintres avaient réagi de même ; et presque tous les compositeurs de musique. Et depuis douze ans, nombre de romanciers prennent la même attitude ; bien que certains le fassent par entraînement ou snobisme, le fait n'en est pas moins réel, et finira par modifier sans doute, à la longue, notre vision romanesque.

Cette prise de position est, du moins, chez Butor, *naturelle*. Elle procède chez lui d'une conviction et d'une nécessité ; pour y parvenir, il n'a imité personne, il a été au contraire l'un des premiers. Il faut donc croire que sa génération était vouée à cette expérience, et que cette expérience était la sienne... Même si on la croyait destinée à l'échec, elle mériterait, tout au moins, une attention sociologique ou historique.

Le besoin de remplacer une tradition romanesque plaisante, facile, mais périmée, par une
forme de roman sophistiquée et exigeante, s'est
imposé sans artifice, et tout naturellement à
Michel Butor. Sa place dans les générations littéraires, sa formation et sa vie, les influences
qu'il a reçues, peuvent expliquer les caractères
de son art : car si cet art peut *étonner* dans le
roman, où il heurte certaines traditions, il n'en
faut pas moins constater qu'il s'apparente aux
formes contemporaines des arts plastiques, de
l'art musical, de la pensée philosophique, et
peut-être même de la pensée scientifique.

On pourra discuter l'esthétique romanesque
et les intentions de Michel Butor. On devra reconnaître qu'elles correspondent aux formes de
la pensée et d'appréhension du monde qui s'im-
posent, à la même époque, dans des domaines
connexes, ou fort différents. C'est ce que peuvent montrer quelques précisions sur sa vie et
sur sa formation, brèves et discrètes comme il
convient pour un écrivain vivant.

Né en 1926 (le 14 septembre), à Mons-en-Ba-
rœul (Nord), Michel Butor est amené à Paris à
l'âge de trois ans par son père. Inspecteur principal des tarifs commerciaux à la S.N.C.F. Emile
Butor est essentiellement un homme de goûts
artistiques, et, pendant toute son enfance et la
première partie de son adolescence, Michel vi-
vra davantage sur des problèmes de *recherche
artistique* que sur ceux de la culture classique
traditionnelle, dont il suit les classes, à l'école
Saint-François-Xavier, au collège des Jésuites
à Evreux, au Lycée Louis-le-Grand. Amateur

éclairé de gravure sur bois, et la pratiquant lui-
même avec ferveur, Emile Butor semble avoir
ainsi donné à son fils le goût d'un travail pa-
tient et subtil, qui exige une intervention arti-
sanale et artistique, et implique aussi une certaine lutte avec la matière (après tout, *Passage
de Milan* peut faire songer à une gravure sur
bois emportée et entraînée par un mouvement
baroque).

Dans son enfance, Michel Butor allait, le dimanche, chez des amis de son père, faire du
pastel et du fusain. Certes, Emile Butor aimait
surtout Vuillard et les impressionnistes, alors
que Michel, déjà, s'intéressait à Picasso. Cette
initiation aux arts graphiques et plastiques
semble, en somme, annoncer certaines tendances que l'auteur de *Passage de Milan* et de *Degrés* introduira dans la technique romanesque.
D'autre part, pendant neuf ans, le jeune Michel
« fera » du violon ; et, à dix-sept ans, nous le
retrouvons humble et déçu devant les difficultés
que présente le violon pour qui n'en fait pas
son étude unique et sa vocation, s'associant à
un ami pianiste pour déchiffrer, pour étudier
même la technique du contrepoint, ce qui implique une forte curiosité pour la technique
mathématico-musicale.

Formé par des arts dont la pratique est rigoureuse et exigeante, graphique ou musique, Michel Butor transposera plus tard cette rigueur
à partir de 1954, dans un art aux lois moins
précises, celui du roman, qu'il semble avoir
choisi faute de mieux. Mais, lorsqu'il compose
un roman, Butor n'oublie pas ces « recettes »,
ses calculs, ces *lois* que sont, pour prendre les
exemples les plus simples, le « nombre d'or »

dans la composition d'un tableau, la sévère dis-
cipline des tonalités, des accords et des disson-
nances, dans la musique.

Après avoir mené de front lycée et culture
artistique, il se rend compte à dix-huit ans qu'il
ne peut immédiatement devenir ni musicien ni
peintre (il eût fallu pour cela sacrifier le Lycée),
et qu'il faut passer des examens, pour prendre
une profession. Il entre alors — en 1943 —, en
classe de Première Supérieure : les « grandes »
études de Lettres Classiques (faute de mieux).

L'atmosphère et le travail des « khâgnes »
lui déplaisent, avec ces analyses de la littérature qui prétendent à la rigueur critique sans y
parvenir. Il se rejette en 1946 sur une licence
de Philosophie, en Sorbonne, espérant retrouver, dans la philosophie, cette exigence et cette
précision dont la musique et arts graphiques
lui avaient donné le goût. Il est servi par les
circonstances : il a comme professeurs Gaston
Bachelard et Jean Wahl. Chez ces maîtres, il
trouve ce qu'il attendait en abandonnant les arts :
la vie, la pensée et l'expérience considérées et
étudiées comme une *mythologie* (de même qu'en
musique tonalité, reprises, jeux du contrepoint
constituent une mythologie).

1950 : le professeur licencié Michel Butor accepte d'aller à Minieh (Egypte), loin de toute
grande ville, enseigner le français à de jeunes
égyptiens qui, en dehors de leur langue mater-
nelle, ne connaissent que quelques mots d'anglais (mais ce se sont pas ceux que connaît Butor). L'année suivante, en 1951, il sera nommé
lecteur à Manchester, puis, professeur au Lycée
Français de Salonique (1954), et en 1956 à Ge-
nève. Il a simplement pris un métier, qui ne lui

déplaît point : un cérébral aime toujours enseigner. Et il trouve aussi l'occasion de voyager...

Comme on lui demande des conférences, il parle souvent du roman : même dans les époques les plus médiocres du roman français, personne, à l'étranger, ne s'est lassé d'en entendre parler. C'est pourquoi ce professeur malgré lui, bien que de bonne volonté, finira par écrire lui-même *Passage de Milan*, en y mettant toutes les exigences de ses formations antérieures, de ses « enfances », de ses rêves de rigueur. Un roman qui n'est pas (comme nous l'avons vu) une simple « histoire » bien racontée, mais une sorte de *puzzle* poétique élaboré par un artiste très cérébral. Cérébral ? Certes. Et d'autant plus qu'à l'image du garçon dessinateur et musicien qui était devenu entre 1950 et 1954 un petit professeur itinérant, il faut ajouter un trait : Michel Butor est passionné de mathématique.

S'il faut se fier, dans ce domaine, à sa modestie, sa formation mathématique est celle d'un simple bachelier série Philosophie, et ses capacités ne vont que jusqu'aux équations du second degré. On constate pourtant qu'il *sait* ce qu'est le calcul infinitésimal, sans qu'il en ait la moindre pratique... A partir de notions mathématiques élémentaires, Michel Butor est capable *d'imaginer* — sans être praticien — ce que sont les mathématiques moyennes et supérieures. Ce cas n'est pas impossible ; et d'ailleurs, il présentait en Sorbonne en 1948 un travail d'étudiant (Diplôme d'Etudes Supérieures) sur « Les mathématiques et l'idée de nécessité ».

A l'origine même de l'inspiration de Michel Butor domine une tendance qui lui est propre :

un roman est pour lui, à mi-chemin entre le récit
et le poème ésotérique, *une mythologie difficile
à déchiffrer*. Il ne semble pas, dans ses goûts et
ses lectures romanesques, s'intéresser à *l'histoire* qui est contée, à son contenu imaginatif, social, pyschologique, mais il y voit un *puzzle,* une
série de symboles à moitié inconnus de l'auteur
lui-même, et il interprète une œuvre romanesque comme nous essayons d'interpréter les son-
nets des *Chimères* de Nerval...

Significatives, à cet égard, sont ses notes ou
ses conférences écrites avant 1954, avant le moment où il sera amené à se poser en théoricien
du roman ; elles ont été publiées postérieure-
ment, dans *Répertoire I,* en 1960.

Lorsqu'il n'est encore qu'un jeune professeur
inconnu, exerçant à l'étranger, de 1948 à 1954,
Butor rédige quelques études ou conférences.
Elles semblent disparates, elles ont pourtant un
point commun : les créations littéraires aux-
quelles il s'intéresse *ont besoin d'être interpré-
tées,* psychanalysées en quelque sorte, pour livrer une partie de leur sens latent. Voici la liste de ses « recherches » : *Petite croisière préliminaire à une reconnaissance de l'archipel Joyce*
(1948) ; *Le point suprême et l'âge d'or à travers quelques œuvres de Jules Verne* (1949) ;
La Répétition (1950) et *Une possibilité* (1950-
1956), sur Kierkegaard ; *Sur les procédés de
Raymond Roussel* (1950) ; *Les « moments »* de
Marcel Proust (1950-1955) ; *L'alchimie et son
langage* (1953) ; *La crise de croissance de la
science-fiction* (1953) ; *La balance des fées,* sur
les contes pour enfants (1954) ; *Sur le « Pro-
grès de l'âme » de John Donne* (1954).

Le choix de ces sujets d'étude, est frappant

et révélateur, utile pour la compréhension de
Butor romancier : Joyce, Kierkegaard, Raymond Roussel, l'alchimie, les contes pour enfants et la « science-fiction ». Dans tous ces cas,
il s'agit d'*un monde dont le sens n'est pas immédiatement donné.* Joyce est « incompréhensible » à première lecture ; Raymond Roussel
n'a écrit que des œuvres dont le sens est caché
sous toutes sortes de jeux de langage ; Kierkegaard, depuis un demi-siècle qu'on l'a redécou-
vert, lasse les commentateurs dans la mesure
où il faut chercher à la fois le sens réel (biographique), le sens sentimental (vécu, mais imaginaire), le sens symbolique (propre à Kierkegaard), et le sens spirituel (dont Dieu est seul
juge) de ses romans-confessions mythiques...
Ajoutons-y les *Contes* de Perrault ou de Mme
d'Aulnoy, qui, sous une apparence de Bibliothèque Rose, contiennent des thèmes émotifs et
sexuels qui relèvent de la psychanalyse, ou plutôt du « psychodrame » ; et la « science-fiction »,
qui pourrait être une folie de l'imagination, un
univers complexe, étrange, impénétrable. Quant
à Jules Verne, si Michel Butor l'étudie dès 1949,
ce n'est pas pour y trouver les plaisirs d'un roman d'aventures à la fois puéril et légèrement
viril, mais pour en dégager la mythologie sous-
jacente, pour en faire *un monde chiffré.*
Rien de plus visible que cette conception du
roman comme mythologie dans cette analyse de
Jules Verne, qui est un des premiers textes de
Michel Butor (1949).
D'abord, Butor est peu sensible au charme su-
perficiel de Verne, à celui d'un monde paterna-
liste qui débouche sur l'aventure, et son attention va tout de suite à une certaine part de rêve

et de cauchemar qui se cache derrière les *Voyages extraordinaires,* à un aspect de « visionnaire » qu'il fait apparaître chez Verne en retrouvant chez lui des images, des cristallisations du songe, qui rappellent Lautréamont, Michaux, Eluard : « Reparcourez les étapes du *Voyage au Centre de la Terre,* baignez-vous avec Axel dans les eaux de cette Méditerranée, dans cette mer des premiers temps, sous son ciel de roc et ses orages. Il suffit de suivre les légendes (...), elles vous mèneront bientôt à des passages de ce genre, qui, au lecteur d'Eluard, pourront révéler toute leur beauté : « La lumière des appareils, répercutée par les petites facettes de la masse rocheuse, croisait ses jets de feu sous tous les angles, et je m'imaginais voyager à travers un diamant creux dans lequel les rayons se brisaient en mille éblouissements ».

« De la même façon », poursuit Butor, « la familiarité avec Lautréamont nous aménera à changer notre optique devant le combat du capitaine Nemo avec le requin, ou bien devant ce paysage : « Quelques arbrisseaux pétrifiés couraient (...) en zigzags grimaçants. Les poissons se levaient en masses sous nos pas comme des oiseaux surpris dans les hautes herbes. La masse rocheuse était creusée d'impénétrables anfractuosités, de grottes profondes, d'insondables trous (...). Des milliers de points lumineux brillaient au milieu des ténèbres. C'étaient les yeux des crustacés gigantesques, des homards géants se redressant comme des hallebardiers ».

Derrière ces scènes dont la puissance poétique dépasse l'anecdote du « Voyage extraordi-

---

¹ *Répertoire I,* p. 131, Ed. de Minuit, 1960.

naire », Butor découvre un monde de Jules
Verne où le jeu du roman d'aventures cache une
sorte d'imagination ésotérique, symbolique et
presque mystique. Il note que les héros de Jules
Verne sont engagés dans la géographie cosmique
non en simples voyageurs curieux d'impressions
et fertiles en aventures, comme il y semblerait à
première vue, mais de la même manière que des
joueurs ou des pions sont engagés dans une partie de dames ou une partie d'échecs. Comme il
adviendra plus tard dans les romans de Butor,
les épisodes, l'intrigue, la composition des romans de Jules Verne sont commandés par une
sorte de loi symbolique, de formule mathématique, d'allégorie cachée. Le voyage de Phileas
Fogg autour du monde est soumis à un calcul
savant du temps, et au jeu des méridiens. Les
enfants du Capitaine Grant sont attachés au 37°
parallèle. Le but du capitaine Nemo est d'atteindre le pôle, comme ce sera celui du capitaine Hatteras : hantise d'un « point privilégié »
à valeur mystique ou alchimique, comme le sera
aussi le centre du globe dans *Voyage au centre
de la Terre*. Le charme de Jules Verne serait
dû ainsi non seulement à un pittoresque géographique, mais à la *fascination* d'un symbole
quasi-mathématique, qui donne une valeur ésotérique à chaque aventure. Combien, d'ailleurs,
de ces aventures, ne reposent-elles pas sur un
« document chiffré », un cryptogramme, une
énigme, un *puzzle*, un « signe » alchimique ! Et
ces récits touristiques pour lecteurs tranquilles
deviennent, analysés par Butor, des *jeux* précis, invisiblement soumis à des algorithmes mystiques. Et, « de ces vieux livres à la fois connus et inconnus », il se persuade peu à peu

qu'ils « s'organisent en une mythologie singu-
lièrement structurée[2] » : valeur mythique, chez
Jules Verne, du « point privilégié » — pôle ou
centre de la terre —, des notions de « feu »,
d'énergie, d'électricité, etc.

Le monde sous-marin de *Vingt mille lieues
sous les mers*, les cristaux de glace du pôle, le
voyage d'Axel Liddenbrock dans les entrailles
diamantines du globe, le Paradis Perdu de la
Méditerranée intra-terrestre, le volcan polaire
et mystique où Hatteras perd son âme, ce sont
ces *mondes parallèles*, symboliques mais réels,
que *la poésie* nous propose comme images homo-
thétiques du nôtre. Avec textes à l'appui, Butor
montre que tel passage de Jules Verne aurait pu
être écrit par Isidore Ducasse ou par William
Blake... Et une expression lui échappe lorsqu'il
parle de la « poétique » de Jules Verne...

On peut, certes, interpréter ainsi les mythes
inconscients et involontaires qui ont guidé invisiblement l'imagination de Jules Verne. Mais
cette interprétation de Butor révèle aussi ses propres tendances : imaginer, derrière l'impénétrable épaisseur de la réalité, un « ordre » secret et
presque mathématique ; estimer que toute grande œuvre imaginaire et fascinante est construite
sur un schéma logique et mystérieux, de nature
algébrique.

N'est-ce ce pas ce que Butor a fait lui-même
dans *Passage de Milan*, où la vie collective d'un
immeuble parisien, décrite de manière simplement réaliste dans le détail, est sentie, dans son

2 *Répertoire I*, p. 132.

ensemble, comme une sorte de vaste partie de
dames, sur un échiquier social et psychologique
à la fois ? Et, aussi bien, dans *L'Emploi du
Temps*, la ville de Bleston est évoquée et lentement découverte à travers une énigme policière
comme chez Jules Verne les fameux *cryptogram-
mes* constituent le ressort de l'aventure...

Tout montre, chez le professeur ou le confé-
rencier Butor, chez Michel Butor critique littéraire, une prise de position bien précise. *Un
roman est pour lui, comme certains tableaux du
XV⁰ siècle, une composition complexe dont on
n'a jamais fini de déchiffrer l'architecture cachée, les problèmes que le peintre a parfois
résolus, parfois simplement posés.*
Est-ce à dire que, lorsqu'il écrit ses propres
ouvrages, il nous propose aussi un *rébus* fabri-
que par lui ? Certes non ; ce serait alors un simple
attrape-nigauds. Michel Butor estime que le
« rébus » que propose toute œuvre de création
artistique ne provient pas seulement de l'artiste
(ou alors ce serait pur artifice), mais aussi de
la nature des choses. Lorsqu'un romancier évoque une réalité donnée, il peut jamais le faire
pleinement sans tricher ; il y reste un certain
mystère, une marge d'approximation entre le
symbole et la réalité. Ce « mystère » (qui est la
distance entre celui qui décrit et la chose décrite),
a pu être traduit sous forme d'angoisse par un
Dostoievski, sous forme de nuances par un
Proust, d'explosions verbales par un Joyce, sous
forme même de coquetteries par un Gide, sous
forme de cris par un Malraux ou un Bernanos,
sous forme d'incohérences volontaires par les
surréalistes...

C'est bien ce « mystère » qu'a le tort de négliger le romancier traditionaliste, qui raconte tout à la perfection, comme s'il savait le fin mot des choses. Butor, lui, méprisant un peu ce que l'artiste peut « dire » ou saisir de la réalité, s'attache à ce qu'il ne peut fixer sous un aspect visible, à ce qui reste « problème », dans cette confrontation de l'homme et du réel que sont la connaissance en général et l'œuvre d'art en particulier.

Aussi une œuvre d'art ne peut pas être pour lui une vision claire et totale des choses, ni même une « interprétation » ; mais, seulement, un « effort d'interprétation », discutable en tant que tel. Et, même, si discutable qu'il constitue un « mystère » lui-même.

Un tableau, un roman, un morceau de musique sont un effort d'appréhension de la réalité, la réalité elle-même, en elle-même, étant intouchable. Exactement comme les particules subatomiques et la constitution de l'Univers sont intouchables, incommunicables. Mais certaines équations inventées par les physiciens représentent une *image* (grossière, conventionnelle, discutable), de nos efforts pour atteindre le réel. De même une œuvre d'art quelconque: elle suggère symboliquement le réel comme nos équations suggèrent symboliquement les ions et mésons qui semblent composer la « matière ». Mais cette représentation est, dans les deux cas, *purement symbolique*.

Né à l'époque où le roman désespérait de lui-même, Butor ne croit pas que le roman « décrive » la réalité. Il n'y voit qu'une série *d'équations romanesques* qui essaient de définir symboliquement le réel sans jamais pouvoir l'attein-

dre. Aussi, pour lui, tout roman, toute œuvre
littéraire comme toute œuvre d'art, sont faits
d'équations symboliques.

Car, aussi bien comme « artiste » que comme
« philosophe », Butor ne s'intéresse pas tant
à la réalité en elle-même, mais au *déchiffrement
de la réalité*. Il ne voit pas dans un roman sa
matière, son sujet et son contenu, mais uniquement son *mode de vision*. L'*Ulysse* de Joyce
n'est pas pour lui une journée de quelques
habitants de Dublin, mais « le monde et ses
problèmes *vus au travers de la journée* de quelques Dubliners »[3]. Et, sans s'étendre sur « l'intrigue d'*Ulysse*, du point de vue le plus extérieur,
(sur) les événements qui remplissent ses huit
cents pages », Butor se passionne dans le livre
sur « *la façon* dont les trois personnages lisent
au livre d'eux-mêmes »[4]. Lorsque, aussi bien,
il s'attache au conte de fées, ce n'est pas pour
jouir du dépaysement que ce dernier procure,
mais pour y étudier la différence entre « les
appréhensions de la réalité »[5] de l'enfant et de
l'adulte. Et lorsqu'en 1962 il préface un roman
traduit de l'américain, c'est, avec *La Proie des
flammes* de William Styron, un livre qui n'est
pas un récit, mais les tentatives de déchiffrement, par deux hommes qui se confessent l'un
à l'autre, de leur passé obscur ; une sorte de
roman policier dont l'intrigue est voisine de la
tragédie d'Œdipe...

3 *Petite croisière préliminaire à une reconnaissance de
l'Archipel Joyce*, in : *Répertoire I*, p. 211.
4 *Petite croisière préliminaire à une reconnaissance de
l'Archipel Joyce*, in : *Répertoire I*, p. 211.
5 *La Balance des Fées*, in : *Répertoire I*, p. 64.

Le roman n'est pas une description du monde, car ce qu'il exprime, pour Butor, c'est *la structure de notre vision du monde*. Ainsi *L'Emploi du temps,* où Jacques Revel transcrit dans son journal les aspects différents selon lesquels, pendant un an, lui est apparue la ville de Bleston, *L'Emploi du temps* dévoile non tant une structure de la réalité que la structure des *représensations* que Jacques Revel peut s'en faire. Tout comme Proust ne décrit jamais Madame de Guermantes ni Monsieur de Charlus, mais les images qu'il a pu s'en faire, et leur évolution. De Bleston, nous n'avons jamais, dans *L'Emploi du temps,* une image qui prétende être totale, complète et définitive, comme la description de la ville qu'un romancier traditionnel placerait éventuellement en tête de son livre ; mais, selon les préoccupations de Revel, selon l'optique propre de chaque moment de l'histoire, des images partielles, contradictoires parfois, greffées sur un schéma symbolique, le plan des lignes d'autobus que Revel a sur sa table. « J'ai repéré (...) les quelques places, les quelques rues dont je me souvenais parmi celles que j'avais déjà vues, ce qui m'a révélé l'étendue de mon ignorance, les régions à peu près connues étant minuscules par rapport à l'ensemble, et (...) il me suffit de regarder ce grand plan de Bleston semblable à celui que j'avais alors, pour y découvrir d'immenses zones où je n'ai jamais pénétré »[6]. C'est pourquoi la ville ne se livre pas comme une réalité dont le romancier pourrait nous présenter une synthèse. Elle n'existe pas en elle-même, elle ne prend de sens et de

[8] *L'Emploi du temps,* p. 45.

réalité qu'à travers les efforts que fait Revel
pour la connaître...

Aussi bien, en lisant *L'Emploi du temps,* nous
ne lisons pas un récit écrit par Jacques Revel,
nous assistons aux efforts de Jacques Revel pour
écrire un récit. « En fait, ce que veut Butor,
c'est montrer le romancier tissant les mailles de
son roman »[7]. Déjà, dans *Les Faux Monnayeurs,*
Gide avait introduit dans le roman le romancier
qui est en train d'écrire ce roman.

Passage de Milan, de même, n'était point tant
la description d'un immeuble parisien pendant
une soirée, mais une « étude » sur les diverses
façons de décrire la vie d'un immeuble ; il faut
entendre « étude » au sens des peintres qui font
une étude, une « ébauche », cherchent une
« composition », et il est bien sensible que dans
Passage de Milan, ce n'est pas la vie des locataires de l'immeuble, et la soirée qui s'y déroule
(c'est-à-dire le sujet apparent du livre), qui sont
intéressants pour Butor, mais les problèmes de
« composition » et de « vision » que pose cette
évocation de la réalité. Ainsi *le roman s'attache
moins à la réalité en elle-même qu'à l'optique
selon laquelle cette réalité peut être vue,* il décrit les modalités de la vision humaine et non
le réel en soi.

Le cas est encore plus frappant avec *Degrés*
(1960), où la matière du livre est en elle-même
insignifiante : la vie d'une Classe de Seconde,
pendant quelques semaines d'octobre, dans un
lycée parisien. Vie routinière à laquelle ne se
surajoutent aucun drame, aucune intrigue, au-

---

[7] Jean POUILLON : *Les règles du Je,* in *Les Temps Modernes,*
avril 1957, p. 1591.

cun pittoresque, et qui semble choisie par le
romancier comme, précisément, une « matière »
indifférente, en principe sans attrait romanesque. Or, ce qui enrichit le livre et lui donne son
sens, ce n'est point ce que l'on pourrait appeler
son « sujet » (qui reste le plus plat possible,
sans événements, sans aventures, sans épisodes), uniquement fait de l'évocation des cours,
des leçons, du cahier de texte. Michel Butor
limite d'ailleurs cette « matière » du roman, en
la réduisant à quelques semaines presque inco-
lores, mais il « travaille », il analyse et étudie
minutieusement toutes les structures que peut
prendre sa représentation dans divers esprits
humains, en combinant dans *Degrés* les points
de vue de plusieurs professeurs et de plusieurs
élèves qui vivent ces quelques semaines, tiennent chacun son journal, et ces descriptions se
superposent, se rejoignent, s'emmêlent, avec un
certain décalage cependant — comme il y avait
décalage dans *L'Emploi du temps* entre les deux
aspects du journal de Jacques Revel, écrit simultanément au présent et au passé... *Degrés*
n'attire pas notre attention sur une réalité. Tout
comme *Six personnages en quête d'auteur* n'était
pas chez Pirandello un drame mais l'étude de
la façon dont s'élabore un drame ; comme *Huit
et demi* n'est pas chez Fellini un film, mais l'histoire d'un film qui cherche à se faire.

Ainsi le roman chez Butor ne prétend pas
être, naïvement et objectivement, connaissance
et description du réel, mais *étude critique de la
connaissance du réel*. Il ne crée pas une matière
romanesque, il étudie et expérimente toutes les
« formes » et les « catégories » que peut utiliser
le roman pour informer la réalité. Butor le dé-

clare d'ailleurs nettement dans ses textes théoriques, lorsqu'il voit dans le récit « un des constituants essentiels de notre appréhension de la réalité »[8].

Cette démarche est « critique », au sens philosophique du mot : *elle met en question la valeur de la connaissance :* « *L'exploration de formes romanesques différentes révèle ce qu'il y a de contingent dans celle à laquelle nous sommes habitués* »[9]. Nul doute qu'il y ait de la part de Butor intention délibérée de faire non pas un roman, mais une « critique du roman » ou un « roman critique », bref, *l'équivalent de ce que fait le philosophe lorsqu'au lieu de décrire le monde il fait la théorie de la connaissance :* « A l'intérieur de mes romans il y a une réflexion sur le roman (...). Je considère le roman comme un instrument de prise de conscience (...). Tous les grands écrivains modernes sont de bons critiques d'eux-mêmes »[10]. Et c'est très nettement que Butor se consacre à étudier la structure gnoséologique du roman, c'est-à-dire d'une des formes de la connaissance, voyant dans cette structure « réflexion et donc formalisation au sens musical et mathématique (...), réflexion qui ne peut (...) s'établir en clarté que par un certain nombre de symbolisations, de schématisations »[11]. Aussi bien, lorsqu'il définit le langage alchimique (et ses romans contiennent des symboles de type ésotérique), il parle d' « architecture mentale... »[12].

8 *Le roman comme recherche* (1955), in *Répertoire I*, p. 7.
9 *Ibidem*, p. 9.
10 Interview de M. Butor par Madeleine CHAPSAL, *Les écrivains en personne*, p. 57, Julliard, 1960.
11 *Intervention à Royaumont* (1959), in : *Répertoire I*, p. 273.
12 *L'Alchimie et son langage* (1953), in : *Répertoire I*, p. 19.

S'intéressant à la structure de la vision plus qu'à la chose vue, c'est-à-dire aux moyens de connaissance plus qu'à la chose connue, Butor fait songer ici à ce que l'on appelle la « critique de la connaissance », et son œuvre romanesque semble être dans le roman une sorte de *critique de la Raison pure*. Il fonde le transcendantal : l'homme ne peut connaître que son instrument de connaissance, et ce que nous prenons pour « la réalité » est notre vision de la réalité, ce que Kant appelait le « phénomène » par opposition au « noumène ». Si pédantes que soient ces réflexions, la culture philosophique et les intentions affirmées de Butor les autorisent, et les rendent nécessaires.

Cette attitude est à vrai dire celle des savants modernes, celle que l'on appelle un peu pompeusement, dans les Universités, l'attitude « critique ». Un cours d'archéologie n'est pas la restitution objective et réelle d'une époque passée, mais l'exposé des *difficultés* que l'archéologie trouve à cette restitution. Un cours de grammaire dans une Faculté n'enseigne pas la grammaire, mais pose des *problèmes* de grammaire. Un professeur de géographie n'étudie pas la géographie, mais les *méthodes* de la géographie... De même, un roman de Butor ne livre pas « la réalité vécue », mais les *difficultés* que l'on peut avoir à se la représenter et à la décrire, les *méthodes* selon lesquelles on peut l'étudier, les *problèmes* que pose sa restitution. Lorsque toute connaissance devient critique de la connaissance, le roman devient critique du roman, ou, selon une formule plus moderne, une « phénoménologie » du roman. Butor, entré en Sorbonne en 1944, n'appartient-il pas à la génération d'étudiants qui a découvert la *phénoménologie* ?

Il n'y a point pour lui de « réel » en soi, car le « réel » est inconnaissable. Mais il existe essentiellement les images que les hommes se font du réel, et qui, par leurs *structures*, contiennent tout de même quelque chose du réel... On ne peut atteindre donc la réalité en s'adressant directement à elle (car alors nous prenons pour elle l'image naïve que nous nous en faisons), mais en étudiant nos propres représentations et leurs structures... De même, les physiciens ont renoncé à définir un monde « réel », ne trouvant plus devant eux ni « matière » ni « énergie », mais des phénomènes sans interprétion immédiate et imaginable, et l'objet de leur étude n'est point tant les atomes ou les nébuleuses en eux-mêmes que les équations (c'est-à-dire les « images » abstraites) qui en rendent compte.

De la même manière, un roman de Michel Butor ne crée pas une matière romanesque. Il étudie et expérimente les « formes », les « catégories », les images et les symboles (on pourrait dire aussi bien les équations) que peut utiliser l'imagination romanesque pour informer la réalité. Il ne peint pas l'homme, mais la manière dont l'homme se peint à lui-même, se représente devant lui-même ; il voit dans le roman « *le domaine phénoménologique par excellence, le lieu par excellence où étudier de quelle façon la réalité nous apparaît ou peut nous apparaître ; c'est pourquoi le roman est le laboratoire du récit* »[13].

---

[13] *Le Roman comme recherche*, in : *Répertoire I*, p. 8.

Faut-il un cours de philosophie pour rendre compte de l'univers romanesque et du travail romanesque de Michel Butor ? On pourrait, fort heureusement, le lire sans introduction pédante, comme on peut lire Pascal sans étudier l'histoire de Port-Royal, ou Paul Bourget sans connaître Taine. Ce travail de recherches, ces intentions qui existent dans les romans de Butor, elles y sont sensibles par le mérite même de Butor écrivain, et l'on peut se laisser prendre aux sortilèges de *L'Emploi du temps,* et même aux recoupements plus laborieux de *Degrés,* sans faire intervenir la philosophie transcendantale et la phénoménologie. Mais c'est alors, et dans la mesure même où l'on « comprend » sans cela, que la question se pose, et que l'on peut souhaiter, précisément donner un nom (même philosophique) à ce que l'on a compris, et voir définie la situation de Butor. Situation d'autant plus difficile à définir que cette attitude « phénoménologiste » ne s'est révélée et imposée, dans les sciences et dans la philosophie, — parfois dans la critique littéraire —, que depuis une vingtaine d'années, c'est-à-dire depuis trop peu de temps pour que, constituant pourtant la principale caractéristique de notre époque, elle soit connue comme telle et enregistrée dans la culture générale. En ce sens, les romans de Michel Butor, en dehors de leurs mérites intrinsèques, peuvent contribuer à faire connaître, lentement, dans notre époque, cette attitude de l'homme devant ses problèmes et devant le monde qui, pour l'histoire, caractérisera précisément cette époque.

Un écrivain dont le goût — et même le vice — est d'*interpréter,* de vouloir traduire toute réalité dans *son* langage, et vouloir découvrir en elle des structures cachées, un analyste-créateur comme Michel Butor devait être tenté par ce que l'on appelle communément la psychanalyse... Et, en fait, il consacre en 1961 tout un ouvrage, *Histoire extraordinaire,* à commenter un rêve que fit Baudelaire dans la nuit du 12 au 13 mars 1856, et qu'il transcrivit, à l'aube de cette même nuit, dans une lettre à Charles Asselineau.

Le texte de cette lettre est précieux. N'est-ce pas, en dehors des expériences que provoquent chez leurs patients les psychanalystes du xx⁺ siècle, un des rares cas où un rêve a été enregistré au plus près de sa source, et, surtout, transmis sans pudeur ? C'est, d'ailleurs, au moment même où il recevait les premiers exemplaires des *Fleurs du Mal* que Baudelaire a eu ce rêve, qu'il raconte sans retouches, malgré son indécence, puisque ce rêve se déroule à peu près entièrement dans une maison close. Si on tente de l'analyser — comme le fait Michel Butor, avec minutie et de la manière la plus méthodique, on a la chance d'y retrouver tous les éléments essentiels de la vie intime et du drame personnel de Baudelaire : l'humiliation que lui a donnée sa mise sous tutelle juridique, sa frustration à l'égard de sa mère, l'évocation très visible et non-douteuse des deux autres femmes qu'il a aimées, Madame Sabatier et Jeanne Duval, ainsi que l'obsession que provoquait chez lui sa maladie honteuse, ou les embarras financiers où il vivait tout en voulant jouer au dandy... Tout est imagé et précis, si l'on interprète les symboles du songe, dans ce récit incongru et obscène, dans cette vie onirique d'un homme humilié et tourmenté.

Aussi Michel Butor se livre-t-il à un commentaire appliqué et plein de finesse à la fois, retrouvant souvent, grâce à l'érudition, à de menus faits antérieurs que rapporte la *Correspondance*, la « piste » et la clef de certaines images du rêve. Il circule avec un plaisir de limier et de poète, dans la mythologie intime de Baudelaire. Il dépiste aussi bien ses obsessions sexuelles que ses transpositions symboliques, dévoilant aussi bien un Baudelaire soumis au complexe de castration qu'un Baudelaire hanté par les mêmes formes d'imagination qu'Edgar Poe.

Histoire extraordinaire fait ressortir un aspect bien personnel de Butor : son goût de s'appliquer à une énigme, au travail de l'esprit qu'elle suscite, au labyrinthe d'hypothèses où elle conduit... Et pourtant, cette inclination, chez lui, ne répond pas à la vulgaire attraction du roman policier, du problème à résoudre... Elle exprime aussi l'attirance d'une vision multiple et difficile de la réalité, qui enrichit la réalité même, et dont un rêve, un fait complexe, mystérieux, nourri de milliers d'éléments, constitue un magnifique exemple : « (...) Que de recoins et de ressources ! (...). La plaque tournante du rêve donne sur tant de voies ! »[14]

14 *Histoire extraordinaire*, p. 265, Gallimard, 1961.

Le roman traditionnel expose et rend convaincante une interprétation déjà élaborée. Lorsque Stendhal écrit *Le Rouge et le Noir*, il a déjà interprété Julien Sorel ; lorsque Flaubert compose *Madame Bovary*, il a déjà interprété Emma. Dans un roman de Butor, cette interprétation préalable est exclue. Non seulement Butor nous livre une réalité non-déchiffrée, mais le roman même se définit par un effort de déchiffrage. Ainsi, dans *Passage de Milan*, la vie collective de l'immeuble ne se réduit pas à un secret défini, mais constitue un *puzzle* qui est toujours à recommencer ; ainsi Jacques Revel, dans *L'Emploi du Temps*, ne nous « peint » pas la ville de Bleston, selon la formule traditionnelle, mais nous fait assister à ses efforts pour apprendre à connaître Bleston.

De ces efforts, jamais une image définitive ne se dégage, puisque nous ne saurions avoir une représentation claire et totale du réel. Mais des images partielles se superposent, comme d'une leçon reprise plusieurs fois, d'une exploration recommencée. Et Butor semble tenir à ces superpositions, puisque le journal de Revel finit par empiler, comme des calques successifs,

3

le Bleston d'octobre, celui de mai et celui de juillet.

Cette conception du roman comme tentative de déchiffrement d'une réalité trop complexe, Butor l'applique le plus souvent (*Passage de Milan, L'Emploi du temps, Degrés*), à une « réalité » extérieure, collective, objective, difficile à pénétrer, et qui exclut que l'on s'identifie à elle : un immeuble, une ville, une classe de lycée, c'est-à-dire un phénomène complexe et étranger, « unanimiste », que l'on ne pourra jamais réduire à un seul schéma.

Une seule fois, il semble appliquer cette méthode à un autre champ d'exploration du roman, à ce que l'on appelle communément la « réalité intérieure ». *La Modification* (1957) est, en apparence, l'examen de conscience que fait en rêvassant, en méditant sur son passé, sur le présent, et sur ses projets, un homme enfermé dans un compartiment de troisième classe pendant les vingt-deux heures du voyage Paris-Rome.

Comme les précédents, ce roman est fondé sur une apparente unité de lieu (l'immeuble, la ville de Bleston). Le « lieu clos » est ici le compartiment de chemin de fer, avec son atmosphère obsédante: « Ici, dans ce compartiment, bercés et malmenés par le bruit soutenu, par sa profonde vibration constante (...), les quatre visages en face de vous se balancent ensemble sans dire un mot, sans faire un geste »[1]. Plusieurs fois, pendant ces longues heures, le voya-

1 *La Modification*, p. 14, Ed. de Minuit, 1957.

geur relira stupidement, comme on le fait de manière machinale, l'inscription : « Il est dangereux de se pencher au dehors — E pericoloso sporgersi ». Tout le récit est ponctué par de petits événements du voyage, par le défilé des gares et des stations : « Passe la gare de Saint-Julien-du-Sault avec ses lampadaires et leurs écriteaux, l'inscription en grandes lettres sur le côté du bâtiment, le clocher, les chemins, les champs, les bois »[2]. Nous sommes avec un habitué de ce long parcours : « Ce train qui est parti comme il part tous les jours à huit heures dix de Paris-Lyon, qui comporte un wagon-restaurant (...) où vous retournerez déjeuner mais non dîner, car à ce moment-là ç'en sera un autre, italien, il s'arrêtera à Dijon et en repartira à onze heures dix-huit (...), quittera Aix-les-Bains à quatorze heures quarante et une (il y aura vraisemblablement de la neige sur les montagnes autour du lac (...), il arrivera à Turin Piazza Nazionale à dix-neuf heures vingt-six... » (...)[3].

Mais ce présent du voyage ne constitue qu'un décor pour la rêverie du voyageur. Ainsi les images qui lui traversent l'esprit, ses souvenirs, ses projets, se détachent en relief sur ce fond monotone. Le voyage en lui-même forme une sorte d'écran derrière lequel, par projections stéréoscopiques, apparaissent les plans divers de sa vie : le passé proche, un passé plus lointain, un passé antérieur, un retour au passé proche, un effort pour fixer l'avenir... En fait, la méditation de Léon Delmont dans l'express

[2] *La Modification*, p. 27.
[3] *La Modification*, pp. 27-28.

Paris-Rome est une forme de la conjugaison du
verbe : le glissement l'un sur l'autre du passé,
de l'imparfait, du passé simple, du plus que-par-
fait, du passé antérieur, fait jouer entre elles
plusieurs images, comme dans un instrument
d'optique que l'on met au point...

A quarante ans, Léon Delmont est directeur,
à Paris, du bureau français des machines à
écrire Scabelli. Il a un appartement place du
Panthéon, trois enfants, une femme correcte,
bourgeoise, indifférente... A Rome, où il va souvent prendre les directives de la maison-mère,
une maîtresse, Cécile, la joie de sa vie de qua-
dragénaire, qui travaille comme secrétaire de
l'attaché militaire français, mais qui a la nos-
talgie de Paris... Si Léon vient de prendre en
troisième classe l'express de jour Paris-Rome
(et non, en première classe, le rapide de nuit),
c'est qu'il voyage cette fois à ses frais : il va à
Rome, à titre personnel, pour convaincre Cécile
de le rejoindre à Paris, tandis que, de son côté,
il va entamer une procédure de divorce...

Comme il est enfermé dans le wagon qui
l'emporte, nous sommes enfermés dans ses pensées et dans sa conscience ; projetés même dans
sa pensée et dans sa conscience, puisque tout le
roman est écrit à la *seconde* personne : « C'est
très brusquement que *vous* avez décidé ce voyage, puisque lundi soir, lorsque *vous* êtes rentré
chez *vous*... »[4] ...et nous devenons ainsi Léon
Delmont, un Léon Delmont qui se parle à lui-
même, bercé par le roulement du train[5].

---

[4] *La Modification*, p. 30.
[5] On retrouvera ce procédé dans une nouvelle américaine
de Fiction scientifique : Th. STURGEON, *L'Homme qui a perdu
la mer*, Fiction, nᵒ 79, janvier 1959.

Pour lui, ce voyage est un temps mort : entre le moment où, à Paris, il a pris la décision d'abandonner sa femme Henriette pour sa maîtresse Cécile, et le moment où, dans trente heures, il arrivera à Rome et mettra Cécile au courant. Et c'est dans ce temps mort que va se loger, tout naturellement, la méditation, c'est-à-dire, en fin de compte, la « modification ».

Déjà il voit ce que sera, le lendemain, son arrivée à Rome : « A une heure, sur la place du Palais Farnèse, cette fois Cécile en sortant vous cherchera du regard... »[6]. Mais à cette journée à venir, se superpose naturellement le souvenir de la dernière rencontre de Cécile à Rome, une semaine plus tôt, alors que Delmont n'avait pas encore pris de décision : leurs itinéraires, leurs promenades d'amoureux...

Puis ce sont d'autres images : la promenade dans Paris que, cinq jours auparavant, au retour d'un voyage à Rome où il avait retrouvé Cécile, Delmont a faite pour, justement, retrouver à Paris la liberté dont il venait de jouir avec Cécile à Rome... Et c'est d'ailleurs au cours de cette escapade solitaire qu'il a décidé de faire venir Cécile à Paris, et d'abandonner Henriette...

Henriette... L'image de sa femme rappelle alors à Delmont non seulement leur appartement parisien et l'asphyxie du ménage, mais ce voyage — presque un voyage de noces — qu'il fit, autrefois, avec sa jeune femme, à Rome, et qu'il croyait avoir oublié... Ainsi la Rome visitée avec Cécile, la Rome qu'il reverra demain avec Cécile, finit par retrouver, au fond de la mémoire, la Rome qu'il découvrit avec Henriet-

8 *La Modification*, p. 50.

te, lorsqu'il n'était pas encore las de sa femme...

Des itinéraires précis se superposent (en bon connaisseur des *villes,* de leur âme et de leur charme, Butor est amateur d'itinéraires précis). Non seulement ceux que Léon Delmont a suivis à Rome avec Cécile, ou pour y retrouver Cécile, mais ceux qu'il y parcourut avec sa femme, qu'il croit haïr maintenant... Puis, aussi, viennent s'y mêler des itinéraires dans Paris : celui de la promenade récente où Delmont décida de divorcer, celui qu'il y suivit aussi avec Cécile, l'année précédente, où Cécile était venue en vacances à Paris. Et c'est peut-être trop pour lui que ce mélange des lieux et des êtres, puisqu'il se dit : « Il ne faut plus penser à ce vieux voyage à Paris avec Cécile : il ne faut plus penser qu'à demain et à Rome »[7] ; comme aussi bien, il ne faudrait plus penser à son premier voyage à Rome, avec Henriette...

Le voyage continue, monotone, implacable, avec ces confrontations de souvenirs d'époques différentes qui glissent les uns sur les autres comme dans les changements de décor à vue... Le parcours est lentement scandé par les stations et les gares : « Vous traversiez la Maremma et le soleil faisait briller les canaux entre les champs labourés... »[8]. Mais ce voyage même, comme les jeux de la mémoire, est un labyrinthe ; car il évoque tous les trajets Paris-Rome que « vous », Léon Delmont, avez faits pour retrouver Cécile, et il rappelle aussi le voyage de noces avec Henriette. Et c'est, également, sur ce parcours, dans le même train, que Cécile appa-

7 *La Modification,* p. 127.
8 *La Modification,* p. 171.

rut pour la première fois, puisque ce fut au cours d'un trajet exactement semblable à celui-ci que Léon Delmont, voyageur de première, engagea au wagon-restaurant la conversation avec une passagère de troisième, l'accompagna dans son compartiment...

On croirait un vertige, et tout le drame banal, le « drame bourgeois » (le mari, la femme, la maîtresse) de Léon Delmont se concentre dans ces souvenirs supperposés de trajets Paris-Rome, ou dans Paris, dans ces évocations et ces images qui dansent comme des reflets et les faux-reflets du paysage ou du compartiment, sur les vitres d'un wagon, le tout mêlé dans la torpeur, l'ennui et l'inquiétude du voyage...

Seulement, de ce vertige, Michel Butor n'a pas joué en écrivain lyrique, désordonné, confus... Au contraire, avec application, il en a construit un long décalque : tout est prévu — au prix de quel travail sans doute ! — dans *La Modification* pour que cet habile jeu de reflets et de glaces, de passés composés et de passés antérieurs glissant sur le présent pour modifier l'avenir, se joue avec une lente perfection, de manière que jamais le lecteur ne se sent dérouté. Il suffit pour cela — comme le fait un très habile metteur en scène au cinéma — de donner à chaque « séquence » du souvenir, à chaque épisode, la longueur exacte qu'il devait avoir... Ainsi une bonne dizaine de « temps » différents (sept ou huit moments du passé, un présent, un ou deux avenirs) peuvent glisser à volonté les uns sur les autres, se superposer un instant par deux, par trois, de manière pourtant que l'on s'y reconnaisse toujours — précaution que n'ont pas prise bien des émules de Butor ! Et, grâce à l'ha-

bileté de Butor, dès le premier tiers du livre, le
lecteur peu assister à ce jeu de kaléidoscope et
de stéréoscopie sans avoir besoin de loucher.

C'est dans ce glissement d'images et d'évocations, chez un voyageur immobile, que se produit ce que l'on pourrait appeler « l'action » du
roman. Léon Delmont ne raisonne pas, ne dis-
cute pas à l'intérieur de lui-même sur les mérites ou le charme de sa maîtresse ou de sa femme. Il laisse simplement les épisodes de sa vie
passée jouer les uns sur les autres, se superposer, se « trier » comme dans une machine cy-
bernétique. Et, peu à peu, la « solution » se
laisse pressentir, se dégage, apparaît, à travers
les circuits « électroniques » sélectifs, qui sont
simplement ici des images mises en compétition
passive.

Après avoir été pris pendant une vingtaine
d'heures dans cette « descente aux enfers »[9],
« lacis de réflexions et de souvenirs »[10] qui constitue un examen de conscience mécanique, tandis que le train, miroir inexorable, passe par
Modane, Turin, Gênes, Léon Delmont se sens
soumis à « vous ne savez quel catastrophique
changement d'humeurs et de projets »[11], comme
si une calculatrice électronique, travaillant sur
ses sentiments, commençait à les clarifier indé-
pendamment de lui. A la hauteur de Pise, il songe déjà au lendemain comme à une « journée
qui ne se réalisera que déformée, car (...) le pas

---

[9] Il existe de nombreuses correspondances, peu visibles
à première lecture, entre *La Modification* et *l'Enéide*.
[10] *La Modification*, p. 163.
[11] *La Modification*, p. 163.

est franchi, mais non point celui-là que vous aviez pensé franchir en prenant ce train ». Sa décision prise à Paris a été « modifiée » ; il s'agit d' « un autre pas, l'abandon du projet sous sa forme initiale qui vous paraissait si claire et si solide, l'abandon de cette figure lumineuse de votre avenir (...), une vie d'amour et de bonheur à Paris avec Cécile »[12]. Et lorsque le train brûle la gare de Civitavecchia, non seulement Léon Delmont sait que le lendemain il ne verra pas Cécile, mais reprendra le train pour Paris, ayant renoncé à abandonner sa femme pour sa maîtresse, mais il se sent comme « un homme perdu dans une forêt qui se referme derrière lui sans qu'il arrive, même pour décider de quel côté il lui convient d'aller maintenant, à retrouver quel est le chemin qui l'a conduit là... »[13].

Cette sorte de « drame intérieur » chez Léon Delmont semblerait être la « crise » d'une tragédie classique : transporté dans un compartiment de chemin de fer, le moment de « délibération » des monologues cornéliens. Mais on s'aperçoit à la longue que cette fausse « méditation » ne constitue pas un roman psychologique. Jamais Léon Delmont ne réfléchit sur les *motifs* ou les *mobiles* de ses actions, ou de celles des autres. Tout se passe par images ; souvenirs ou projets, ce sont des images de voyages successifs à Rome qui se superposent ; plusieurs visions de Rome mêlées à plusieurs visions de Paris.

---

12 *La Modification*, p. 166.
13 *La Modification*, p. 169.

Car Léon Delmont est plus sensible aux aîtres qu'aux êtres. Ce qu'il aimait, ce qui formait pour lui un rêve romanesque, c'était Rome telle qu'il la visitait, clandestinement, dans une sorte d'escapade, avec Cécile. S'il faut une découverte « psychologique » au cours de la méditation que constitue son voyage, c'est que, transplantée à Paris, et devenue sa compagne, Cécile perdra son charme ; comme, aussi bien, si elle ne fournit plus l'occasion d'une fugue amoureuse, Rome aussi perdra son charme : « Vous craignez que la Ville éternelle vous semble désormais bien vide, et que vous y languissiez après cette femme qui vous y attirait et vous y retenait... »[14].

S'il y a un drame, une « action », une lutte dans *La Modification,* ce n'est pas une lutte de « sentiments » et de « passions », mais une lutte d'images, figurée par une lutte de villes. Au demeurant, nous ne voyons pas vivre, dans la conscience de Delmont, Henriette ou Cécile ; elles restent, en fait, des figures bien pâles, de simples silhouettes. La vie du livre, la magie du souvenir et de l'imagination s'attachent au contraire aux deux villes qui les symbolisent, et Delmont ne parcourt pas, en amoureux, le corps ou l'âme de Cécile, il parcourt les rues de Rome au long d'itinéraires familiers. Il se plaît à imaginer le circuit dans les rues et les avenues qui l'amènera de la Gare Termini à la Place Farnèse, par la Piazza Colonna, par la Piazza della Minerva, ou bien telle promenade outre-Tibre, par le Pont Fabricius, vers Santa Maria in Trastevere. Si une image « voluptueuse » revient dans

ses pensées, ce n'est pas tellement celle de la
chambre où il rejoindra Cécile, mais celle de la
Piazza Navona, de San Agnese in Agone avec la
façade courbe de Borromini et la fontaine des
Fleuves au centre de la place... — au point que
son amour pour Cécile (qui n'est jamais décrite) devient un Guide touristique et familier de
Rome qui, elle, est longuement, amoureusement
décrite en connaisseur, comme si, au corps fé-
minin, Delmont, par une sensualité un peu cérébrale, préférait l'embrassement et l'âme d'une
ville...

.*.

D'ailleurs, un peu plus tard, et après avoir,
semble-t-il, avoir abandonné toute ambition romanesque, Michel Butor publiera tardivement,
en 1967, un léger conte pseudo-fantastique inspiré du romantisme allemand : *Portrait de l'artiste en jeune singe.* Œuvre de jeunesse peut-être,
livrée à l'impression avec quelque retard.

Certes, le titre vient de Joyce. Mais le héros du
récit (Butor lui-même) n'y est pas Stephen De-
dalus. Il n'est qu'un étudiant, un apprenti, un
jeune « *singe* » qu'un inénarrable comte allemand a invité dans son château pour se remet-
tre un peu à la langue française... Imaginez
Louis II de Bavière, le Roi Fou faisant appel à
un étudiant français, et l'introduisant dans
toutes sortes de cabinets de lecture bourrés d'ouvrages ésotériques ou cabbalistiques. Nécroman-
cie, magie, illusionnisme, ce sont tous les éléments de ce roman outrancièrement romanesque,
qui est un bon pastiche de 1830. Ajoutons-y une
intrigue sentimentale qui ne manque ni de char-

me ni d'horreur : c'est ainsi que Mary Shelley avait écrit *Frankenstein*.

Qu'il date de 1950 (comme je le pense), ou qu'il ait été réellement écrit en 1967, ce roman de pseudo-romantisme, horrifique, ténébreux et esthétisant, est un jeu de la part de Michel Butor. L'amour, la vocation et l'intention dernière de Butor sont d'évoquer certaines atmosphères, réelles ou imaginaires : le H.L.M. de *Passage de Milan*, le Bleston de *L'Emploi du temps*, la folie de Baudelaire dans *Histoire extraordinaire*, ou l'invraisemblable château bavarois de *Portrait de l'artiste en jeune singe*. Dans tous ces cas — et même dans cette tentative de romantisme saxo-allemand, entre Bradbury et Hoffmann — Butor romancier est resté inspiré, plus que par les hommes, si semblables, si interchangeables, par les atmosphères, les présences et les lieux : par le *génie du lieu*.

V. — STÉRÉOSCOPIES A QUATRE DIMENSIONS

LE GÉNIE DU LIEU (1958), DEGRÉS (1960)

La « puissance des lieux » substituée à la
« présence des êtres », c'est tout un renverse-
ment de l'intérêt du roman (comme, aussi bien,
de la peinture, qui, depuis quatre-vingts ans,
substitue le sens de l'espace au sens de l'anecdote humaine). Sur ce point, Butor est bien l'al-
lié et le compagnon de route des romanciers du
« nouveau roman », qui refusent de faire du
roman une œuvre « psychologique » : il ne cherche pas à cerner l'âme des êtres, mais l'âme des
lieux. Et les *êtres* n'existent qu'en fonction des
lieux : Léon Delmont, dans *La Modification*,
n'aimait pas Cécile, mais les escapades dans
Rome dont Cécile lui fournissait l'occasion.

Ainsi ce qui semblerait devoir être le « décor »
ou le « milieu » prend plus d'importance que le
« personnage », et ce parti-pris peut choquer les
lecteurs qui tiennent très fort à ce qu'ils appellent « l'humain », c'est-à-dire à un certain goût
des complications intérieures des hommes, plus
qu'au fonctionnement de l'univers. Et cependant, Michel Butor n'est certes pas l'inventeur
de cette tendance que peut avoir le roman à
s'écarter de la « petite histoire » qui se passe entre quelques hommes, pour concevoir un « es-

pace moral » ou un « espace esthétique » plus ri-
goureux : bien que Balzac ait créé d'admirables
« personnages », le « milieu » comptait plus
pour lui que les personnages ; si l'on relit *Les
Misérables*, on s'aperçoit que cette tentative baroque « tient » davantage par l'invention d'un
univers moral et social que par les pathétiques
marionnettes qui s'appellent Jean Valjean, Ja-
vert ou Cosette. Il en sera de même chez Thomas
Mann, chez Jules Romains, chez Aragon. Les romans de Balzac, *Les Misérables*, les *Hommes de
bonne volonté*, *Les Cloches de Bâle*, sont soute-
nus par Paris, et non par Marius, par Rastignac
ou par Jerphanion. Bien sûr, ce qui, de Hugo à
Aragon, était implication sociale, devient chez
Proust, puis chez Butor, implication esthétique.
Mais dans les deux cas le roman est construction
d'un espace imaginaire extra-humain (social ou
esthétique), et, par suite, évasion hors du monde limité des aventures psychologiques, amou-
reuses et anecdotiques.

Certes, les « sensibilités romanesques » pré-
fèrent que le roman soit consacré à des aventures
sentimentales — ou sociales, psychologiques,
voire mystiques, mais, en fin de compte, *anecdotiques*. L'art de Michel Butor est, et veut être,
plus sévère. Le roman est pour lui un *univers*
(avec quelques aspects géométriques), et non
une « histoire », un conte...

Comme Balzac, Hugo, Jules Romains ou Aragon, Michel Butor est sensible d'abord à ce que
l'on pourrait appeler la « poésie des lieux ».
Comme eux, il conçoit un roman à partir d'une
entité géographique plutôt qu'à partir d'une

« personnalité » humaine, ou de ce que l'on
nomme, en littérature, un « personnage ». La
réalité qu'il *déchiffre* — puisque son art d'écrire
est en somme une logique et une esthétique du
déchiffrement —, n'est pas celle des âmes, mais
cette réalité plus diffuse, plus complexe et plus
cérébrale qui est celle des grands « ensembles »,
des paysages, des cités, des climats moraux ou
mentaux. C'est ainsi qu'il consacre tout un ouvrage, dont le titre est fortement significatif, *Le
Génie du lieu,* à ce que l'on pourrait appeler
l'évocation de quatre villes (Courdoue, Istanbul,
Salonique, Delphes), à quelques notes sur Mal-
lia, Mantoue, Ferrare, et à une longue étude sur
l'Egypte.

On ne saurait attendre de lui les impressions
aimables du voyageur disert, telles qu'elles
étaient publiées dans les revues bourgeoises du
XIXᵉ siècle. Pour Butor, l'exotisme est, comme il
eût pu l'être pour Valéry, un exercice mental.
L'abord d'une ville — Cordoue par exemple —
lui fournit à la fois un aliment et un travail de
l'esprit, qui deviennent comparables à la méditation proustienne. Le souvenir de cette ville
lui procure l'occasion de la recomposer, une
sorte d'exercice de mémoire et d'algèbre. Il s'agit
de repenser et reméditer ses sensations. Et c'est
alors un long travail de re-création ; car, Cordoue vécue et sentie au cours d'une brève visite,
c'est la matière même de l'œuvre d'art (comme,
avec plus de loisir, Manchester dans *L'Emploi
du temps* ou Rome dans *La Modification*). Aussi
Michel Butor entreprend-il de parler de Cordoue
comme on entreprend de retrouver un paysage
trop rapidement visité, comme Proust entreprend de revivre en roman sa propre vie : « Il

faut donc que j'en vienne à parler de Cordoue, à donner une première forme forcément insatisfaisante à tous ces murmures que continuent, que continueront sans doute pendant des années d'éveiller en moi le nom de cette ville et le souvenir de mes parcours (...) à l'intérieur de son réseau de rues blanches, le long de ses murailles couleur de sable ou de chaux, dans la propreté du soleil et le rafraîchissement des ombres (...), *le souvenir de mes patients mais trop brefs efforts pour la lire,* pour en tirer la nourriture que j'étais certain d'y trouver »[1].

Une description est donc avant tout, pour Michel Butor, un effort de « lecture ». Nous saisissons là le mouvement spontané de son esprit, pour lequel « lecture » et « création » se confondent, la création littéraire étant une pédagogie poétique qui enseigne à « déchiffrer » la réalité.

Une ville, pour lui, — Ferrare par exemple —, constitue au premier abord « un monde mental »[2]. C'est que, plus que visuelle, sensuelle ou sentimentale, son imagination est *spatiale,* comme celle d'un peintre. Ses romans visent à *construire un espace,* à établir des coordonnées, des vecteurs, une distribution de la matière (matière humaine, mais traitée comme la physique traite les corpuscules), dans une sorte de *continum,* de milieu à qualités variables qui se définit par son contenu même (comme l'espace physique se définit aujourd'hui par les champs magnétiques qui le sous-tendent).

Cette prédisposition lui fut sans doute révélée, lors de sa première expérience de professeur en

1 *Le Génie du lieu,* p. 9, Grasset, 1958.
2 *Le Génie du lieu,* p. 102.

exil, par la vallée du Nil à Minieh. Butor y découvre ce que l'on pourrait appeler un « espace
orienté » : gouvernée par le fleuve, enserrée par
les falaises, cette vallée se définit — la géographie humaine le montrerait aisément — comme
un *couloir* où prédominent les lignes longitudi-
nales, où la vie trouve ses structures par cou-
ches juxtaposées, par « rubans », excluant toute possibilité d'extension en largeur ou en cir-
conférence... C'est pourquoi les Egyptiens n'ont
pratiquement pas utilisé la notion de *cercle*.
Mais ils ont créé un monde mental et esthétique
que caractérise cette prédominance de la *longueur* sur les autres dimensions et cette disposition naturelle rendrait compte de l'art égyptien, de cette juxtaposition qui y remplace la
perspective : « L'espace, dans la valllée du Nil,
possède une direction principale, un sens abso-
lument privilégié, ce que la composition de la
peinture égyptienne ancienne par registres su-
perposés nous exprime admirablement »[3].

Voilà certes une théorie séduisante pour l'esprit, que les stèles de l'Egypte antique, qui superposent et distribuent en longueur leurs thèmes et leurs figurations, aient été influencées
par la *structure* unilinéaire de l'espace égyptien,
une vallée entre des falaises. Les égyptologues
peuvent en discuter, et y pourront voir une idée
simpliste. Mais cette théorie même caractérise la
sensibilité propre de Michel Butor.

Car ce souci de la distribution spatiale, on
le trouvait dès *Passage de Milan* : étages super-
posés d'un immeuble, passage des personnages

[3] *Le Génie du lieu*, p. 118.

d'un niveau à l'autre. Comme, aussi bien, dans *L'Emploi du temps*, la ville de Bleston est sentie comme un espace à pénétrer, à explorer, à peupler... Et *La Modification* confronte plusieurs Romes, plusieurs itinéraires dans Rome, plutôt que plusieurs « personnages »...

Rien de plus éloigné, dans le mode de vision du roman « psychologique et social ». Ce dernier expose et commente, à travers ses personnages et leurs actes, des *valeurs,* affectives, sociales ou morales : des sentiments, des attitudes, des projets, des velléités, des aventures. Tout cela est absent — sauf dans certains aspects de *La Modification* —, des *figurations* romanesques de Butor, où le romancier s'applique seulement, comme le graveur égyptien, à distribuer sur une stèle (les pages du livre) des personnages, des gestes, des figures. Ou plutôt à les placer non sur une surface plane, mais dans un « espace », et même dans un espace à multiples dimensions, comme l'immeuble de *Passage de Milan,* ou Bleston vu à travers divers formes du temps dans *L'Emploi du temps.*

Ce n'est donc pas le monde unilinéaire du roman d'aventures, qui suit le fil du récit ; ni le monde à deux dimensions de la description ; ni même celui du roman traditionnel, où des personnages se meuvent et se modifient dans un décor déterminé. L'art de Butor — qui s'assimile par métaphore à celui du peintre ou du sculpteur « semi-abstrait » — est de chercher, dans l'espace qu'il crée, un *relief* de plus en plus compliqué, ajoutant toujours à son espace *une nouvelle dimension.*

Cet effet de relief, il l'obtient le plus souvent par des superpositions, comme celles des voya-

ges Paris-Rome dans *La Modification*, qui per-
mettent à Léon Delmont de voir sa vie et son
aventure « en relief ». Procédé qui fait songer
à celui du stéréoscope, qui procure la sensation
— ou l'illusion — du relief, en offrant à l'œil
gauche et à l'œil droit des images légèrement
décalées.

C'est, en particulier, un effet stéréoscopique
qui caractérise cette lente et riche étude de
superpositions de plans qu'est *Degrés* (1960).
Les mêmes événements — les plus insignifiants
possible —, y sont vus à travers des oculaires
différents, avec un léger décalage.
Volontairement, Michel Butor y utilise la
« matière » la plus neutre : quelques semaines
de cours, à partir du lundi 11 octobre 1954,
dans une classe de Seconde du Lycée Taine, à
Paris. On ne saurait choisir sujet moins « romanesque » : le déroulement de la vie scolaire...
Mais cette réalité banale paraît inépuisable
— comme à Proust sa propre vie — au professeur Pierre Vernier, qui a entrepris de la
fixer par l'écriture, en ses moindres détails,
dans une sorte de « journal », ou plutôt de
« mémorial », rédigé à l'intention de son neveu
Pierre Eller, qui se trouve être son élève dans
cette même classe.
La complexité cachée du réel est d'ailleurs
symbolisée ici par la complication des liens de
parenté qui unissent élèves et professeurs, car
Pierre Eller a parmi ses maîtres non seulement
son oncle Vernier, professeur d'histoire et géographie, mais un autre oncle, Henri Jouret, professeur de lettres, tandis que le professeur d'an-

glais, M. Bailly, a également un neveu dans
cette classe de Seconde... C'est bien cette complexité de liens et de rapports qui fascine Pierre
Vernier et lui inspire ce besoin de traduire, à
partir des relations individuelles, la vie collective de la classe, comme *Passage de Milan* sug-
gérait la vie collective de l'immeuble.

Le récit — ou plutôt la description — sont
menés d'abord par Vernier, qui en somme transcrit pour son neveu — mais de son point de
vue à lui — leur vie scolaire commune... Mais
il ne tarde pas à demander fictivement au jeune
garçon de rédiger lui-même une description et
un journal de la classe, et, dans la troisième
partie du livre, le professeur Henri Jouret, l'autre oncle d'Eller, entrera à son tour dans le jeu.
Les mêmes faits sont évoqués à trois reprises,
comme, par exemple, chez Henry James, où
Butor a remarqué que, « dans *Le Tour d'écrou,*
on voit la superposition de quatre narrateurs
différents »[4]. Ainsi, dans le journal-description
de l'élève Pierre Eller, on retrouvera tout le
programme et tout l'horaire, déjà transcrits,
heure par heure, par son oncle le professeur
Vernier : la première leçon de géographie sur
le noyau de la Terre, l'introduction à la lecture
du *Jules César* de Shakespeare, la leçon d'histoire sur la fin du Moyen Age, le cours d'italien
sur le *Purgatoire,* le long commentaire de l'édu-
cation de Gargantua... Les professeurs et les
élèves, les programmes et les horaires se croisent, en des va-et-vient organisés dans le lycée,
le cours de Latin des Troisième se superpose

---

4 *L'usage des pronoms personnels dans le roman,* in : *Les
Temps Modernes,* fév. 1961. Texte à paraître en 1964 dans
Répertoire II, Ed. de Minuit.

au cours de Géographie des Seconde... Car Pierre
Vernier essaie d'imaginer la vie totale de ce
doux monstre qu'est le Lycée, et d'embrasser de
manière descriptive, comme le fait de manière
administrative le Tableau d'ensemble des Horaires que possède le Surveillant Général, cette vie
collective, avec les imbrications des heures de
cours, la circulation et le ballet des horaires,
des maîtres et des élèves : « Le vendredi, de
l'autre côté du mur devant moi, M. Bailly, après
avoir ramassé les versions, un passage d'une
conférence de Coleridge sur Macbeth (...)

« prenons maintenant notre manuel, pour
ceux qui n'ont rien d'autre, page 177 (...)

« Devant le mur, devant la chaire, Alain
Mouron lisait :

« Ponocrates lui remontrait que tant soudain
ne devait repaître au sortir du lit... »

« et il écrivait le lundi, sous ta dictée, la
définition du climat ; son oncle, à l'autre bout
de l'étage avec ses troisième, livre de la Jungle ;

« et le mardi, M. Hutter étant avec d'autres
Troisième, Francis (...) n'écrivant plus depuis
quelques instants, les yeux fixés sur l'illustra-
tion du manuel (...)

« Monsieur Hutter, je suis désolé, mais vous
serez collé jeudi prochain »,

« Le mercredi Alain Mouron, après s'être pas-
sablement tiré, au tableau noir, de l'extraction
de la racine carrée de 2642, de retour à sa place
a cherché sa bouteille d'encre afin de remplir
son stylo... »[5].

Et les épisodes scolaires dans leur monotonie,
se transforment en versets lyriques d'une ina-

5 *Degrés*, pp. 152-153, Gallimard, 1960.

chevable Bible qui est, tout simplement, l'impossible épopée que l'on peut toujours tirer,
avec minutie, de la réalité la plus mince et la
moins passionnante, comme celle qui a été
choisie ici...

Inconcevable épopée, dont *Degrés* en somme,
décrit l'échec, puisque Pierre Vernier mourra
littéralement à la tâche, et nous retrouverons
sur un lit d'hôpital l'homme qui a voulu, simplement, *décrire,* mais décrire *totalement* trois
semaines de la vie d'un Lycée.

La tentative de *Degrés* est un effort de vision
stéréoscopique. Aucun détail n'y vaut que par
le fait d'être *vu,* en même temps, selon plusieurs
optiques différentes. Trois récits des mêmes semaines s'emmêlent ou se répètent. Et, en se
décrivant les uns aux autres les mêmes faits
qu'ils connaissent déjà, mais de points de vue
différents, les trois « récitants » semblent engager un triple dialogue... En ce sens, *Degrés*
resssemble à ce roman que Michel Butor imagi-
nait dans un article : un roman par lettres, où
les lettres se croiseraient en route, de manière
que chaque correspondant ne répondrait pas
particulièrement à l'autre, mais que, en une
sorte de dialogue de sourds, ils feraient allusion
aux mêmes événements sans avoir le temps de
se concerter et de se répondre. En imprimant
les lettres de l'un en recto, celles de l'autre en
verso, face à face, on obtiendrait en somme deux
descriptions indépendantes, et pleines de malen-
tendus réciproques, de la même situation ; on
aurait alors, comme dit Butor, « un *mobile*

cohérent dans lequel le lecteur pourra varier ses parcours, lisant soit des doubles pages dans l'ordre habituel verso recto, soit en inversant cet ordre, soit prenant la suite des rectos ou celle des versos »[6]. Ainsi le livre ne doit plus être lu « à la suite », ligne après ligne. Son architecture secrète est faite de superpositions, d'illusions, de retours en arrière, de répétitions voulues. Il ne forme plus un texte continu, mais un ensemble *qu'il faut aborder selon plusieurs angles*. Comme ces sculptures imaginées par Alexandre Calder, les « mobiles », ou comme aussi bien la chapelle de Ronchamp, dont l'architecture n'est compréhensible que si l'on tourne autour d'elle. On retrouve là ce sens artistique de « l'espace » qui frappait dans *Le Génie du lieu*. Et, d'ailleurs, lorsqu'il voudra évoquer, et même décrire, un pays aussi vaste et hétérogène que les Etats-Unis, Michel Butor abandonnera toute technique romanesque ou narrative en faveur de la poésie purement verbale et spatiale et, s'inspirant de Calder, donnera à son livre le titre de *Mobile*.

8 *Individu et groupe dans le roman*, in : *Cahiers du Sud*, fév.-mars 1962. Texte à paraître en 1964 dans *Répertoire II*. Ed. de Minuit.

VI. — MOBILES : « MOBILE » (1962)

DESCRIPTION DE SAINT-MARC (1963)
VOTRE FAUST (1964)

6.810.000 LITRES D'EAU PAR SECONDE (1965)

Après *Degrés,* Michel Butor va se dégager de
l'affabulation romanesque et de la technique
romanesque. S'il a auparavant employé la forme
du roman dans ses trois premiers grands livres,
Passage de Milan, L'Emploi du temps et *La
Modification,* il semble que cela ait été de manière provisoire.

On peut estimer qu'à partir de 1958-1960, il
est passé à un second palier de sa vie, à une
seconde manière dans son œuvre. Son existence
a changé de forme. Il n'est plus le professeur
itinérant qui dans chaque ville rencontre le « génie du lieu » et, de sa lutte avec lui, tire un
drame romanesque. Sa notoriété l'a amené à
se fixer à Paris, marié et père de trois enfants,
et à prendre un rôle dans une maison d'éditions. Elle lui procure aussi l'occasion de s'exprimer par des moyens nouveaux, comme l'opéra
ou le drame radiophonique.

C'est pourquoi, après 1960, il ne voit plus dans
le roman qu'un *cas particulier* dans une invention plus vaste et plus exigeante qui est la
poésie, ou plutôt cet exercice de l'esprit que,
dans des œuvres de genre indéfinissables, Valéry

a très bien défini... Michel Butor est peut-être un Valéry de 1964, mais qui aurait écrit quelques romans dans sa jeunesse...

Désormais, il abandonne la « fiction », comme disent les Américains, pour la « non-fiction ». *Description de Saint-Marc de Venise* est méditation, contemplation, analyse ; *Votre Faust* n'utilise l'anecdote que pour autant qu'elle est nécessaire dans un opéra ; et son étude des Etats-Unis, *Mobile,* n'est ni un roman ni un reportage, mais un poème.

Cette image, ou plutôt ce « schème » du « mobile », hantait déjà l'imagination de Butor. De *Passage de Milan* à *Degrés,* ses romans tendaient à être non des narrations unilinéaires, des « récits », mais en quelque sorte des « objets », des concrétisations artistiques qui, comme des sculptures dans un espace quadridimensionnel, *exigent d'être vues sous plusieurs angles, et impliquent une lecture multiple.* Dès 1959, il admire dans l'œuvre de Balzac ce cristal aux nombreuses facettes, et avoue qu'elle le fascine : la *Comédie humaine* est un monde artistique *à plusieurs entrées* ; il n'y a pas en elle de direction de lecture privilégiée, et on ne peut l'explorer qu'en y suivant à la fois plusieurs itinéraires : « Nous nous trouvons, par conséquent, devant un certain nombre de facettes liées les unes aux autres et parmi lesquelles nous pouvons nous promener. Il s'agit de ce que l'on peut appeler un *mobile romanesque,* un ensemble formé d'un certain nombre de parties que nous pouvons aborder presque dans l'ordre que nous désirons ; chaque lecteur découpera dans l'univers de la *Comédie Humaine* un trajet différent ; c'est comme une sphère enceinte avec de multiples portes »[1]. Tel est le type d'univers romanesque que Butor avait cherché à construire dans chacun de ses romans, jusqu'à *Degrés.* Car chacun de ses romans était une description labyrinthique.

C'est ce que sera aussi *Mobile,* mais sur un autre mode. Cette « étude pour une représentation des Etats-Unis » (selon le sous-titre de l'ouvrage) n'utilise plus ce fil conducteur d'une anecdote qui caractérise le roman. Là, les impressions et les notations du voyageur-poète qui découvre les U.S.A. sont présentées sans ordre narratif : fusées, sensations, chocs, dans une totale impression de désorientement.

La disposition même du texte, la construction et la composition du livre, sont destinées à dépayser. Comme le *Coup de dés* de Mallarmé, comme certains poèmes de *Calligrammes,* le livre est imprimé avec des effets de décalage typographique[2]. Le texte semble former des versets. Mais s'y mêlent, comme dans la grande trilogie *U.S.A.* de Dos Passos, les impressions du voyageur, des panneaux-réclames, des extraits de journaux, des horaires d'avion, des fragments d'affiche ou de guide touristique. De plus, le plan (non sensible à première lecture), de cette description des Etats-Unis, est celui d'une visite-éclair : on y parcourt, théoriquement, *dans l'ordre alphabétique,* les cinquante Etats du pays, en consacrant théoriquement une heure

[1] *Balzac et la réalité,* in *Répertoire I,* pp. 83-84.
[2] Ces effets sont cependant obtenus de la manière la plus simple : trois marges, et trois variantes (romain, italiques, capitales) d'un même corps typographique.

à chacun: les images se succèdent comme elles se succéderaient pour un voyageur qui parcourrait tous les Etats-Unis en cinquante heures, sautant en trombe d'un avion dans une voiture qui démarre instantanément pour un autre aérodrome... Il ne peut alors en effet cueillir au passage que quelques panneaux-réclames, quelques lambeaux de dépliant touristique, quelques phrases saisies au vol sur une piste d'embarquement, et quelques sensations rapides, affolantes, suraiguës... Le texte est un mélange de notations échevelées :

« BIENVENUE EN CAROLINE DU NORD

CONCORD il fait jour depuis longtemps à temps oriental, où vous pourrez demander dans le restaurant Howard Johnson, s'ils ont de la glace à l'abricot.

La mer,   les vagues,
le sel,   le sable,
l'écume,   les algues.

Les Indiens Cherokees invitèrent les missionnaires à venir s'installer parmi eux et à ouvrir des écoles (...)

Noir.
Le marais d'Angola, « Hello, Al ! » — Passée la frontière du Sud-Ouest,

CONCORD, GEORGIE, côte atlantique (for whites only) (dans les Etats du sud, une partie des autocars ou des tramways est interdite aux gens de couleur)

> *La mer,*
> > *la marée,*

la houle (...)

(...) « Hello, Mrs Greenwood ! » — L'immense marais d'Okefenokee, — en continuant vers le sud,

> > CONCORD, FLORIDE
> > (...whites only), la réserve
> > des Indiens Séminoles »[3].

Les intentions très subtiles de Michel Butor aboutissent ici à un impressionisme exacerbé. Il rappelle celui de certains textes de Blaise Cendrars, cet enivrement de la vitesse, d'une visite rapide du monde, un univers de panneaux publicitaires, de néon, un monde lu en lambeaux... On parvient au point où la lecture devient difficile, où la « traduction » et la *communication* du texte se font impossibles : *Mobile* ne signifie rien pour qui n'a pas visité à trois cents à l'heure les Etats-Unis...

Dans ce texte très élaboré, mais sans complaisances et sans « pédagogie », Michel Butor a voulu traduire directement, brutalement, une expérience incommunicable. Il refuse *d'initier* le lecteur au monde qu'il découvre, car il veut, précisément, exprimer le *choc* que produit cette découverte. On ne décrit pas, estime-t-il, les U.S.A. comme on décrirait la France. Puisqu'il s'agit de deux réalités bien différentes, le mode de description doit être différent : « Si le voyageur cherche à se désorienter dans un autre espace », dit un des meilleurs commentateurs

3 *Mobile*, p. 17, Gallimard, 1962.

de Michel Butor, « *à se perdre dans un autre mouvement*, il est étrange que des livres qui ont pour but de rendre compte de ce qu'ont d'irrémédiablement différent le Brésil, la Chine ou l'Italie, puissent se présenter selon le même plan. Michel Butor a voulu que le lecteur fût plongé dans *Mobile* comme il le fut lui-même dans les Etats-Unis »[4]. Et ainsi le lecteur de *Mobile* est « immergé » dans un texte à peu près indéchiffrable pour lui s'il n'a pas subi les mêmes sensations, éprouvé les mêmes impressions que son auteur, car il manque alors de *références*. Le comble de l'art, la réussite suprême serait alors que ces impressions devinssent communicables par la magie du texte...

L'impressionisme ambitieux de *Mobile* reste cependant fondé sur le simple souci de la *description*. Et le thème profond de Michel Butor est, avec plus d'acuité dans le domaine poétique, celui que Gide assignait à son expérience romanesque des *Faux Monnayeurs* : « la rivalité du monde réel et de la représentation que nous nous en faisons »[5]. Car, même s'il s'attache à des gageures comme celle de *Mobile*, son art reste modeste dans sa définition essentielle : le créateur est pour lui celui qui décrit le monde. Tel est pour lui le musicien, aussi bien que le romancier ou le poète ; et Butor cite les pages où Balzac a deviné la parenté de la composition musicale et de la composition romanesque ; il

[4] Jean ROUDAUT : « *Mobile* », une lecture possible, in : *Les Temps Modernes*, nov. 1962, p. 884.
[5] André GIDE : *Les Faux-Monnayeurs*, p. 161, Gallimard, 1925.

propose d'étudier « les capacités de narration de la musique » et de tenter « une comparaison méthodique entre les formes musicales et les formes romanesques »[6].

Qu'il s'agisse de la musique, des arts plastiques, du roman ou du poème, entre lesquels Butor pressent une unité semblable à la parenté que Valéry découvrait entre l'architecture et la danse, l'art apparaît comme « tentative de description », et l'artiste comme l'homme qui est capable de mettre en scène le monde.

Cette mise en scène est le fait de tout art, qu'il s'offre à l'oreille en massifs et en nuances sonores, à l'imagination en images, en épisodes, en gestes humains, ou à l'œil en formes et en couleurs. Et c'est cette mise en scène que, dans *Description de Saint-Marc,* Butor tente de faire passer du domaine de la fresque et de la mosaïque au domaine des mots.

Poème-description, cette « étude » de Saint-Marc de Venise est une tentative de reproduction et de « traduction », par le texte poétique, de l'art que l'on appelle habituellement celui de la « décoration murale ». Dans ce passage d'une technique à une autre, Butor doit faire appel à un procédé nouveau, à un procédé intermédiaire : celui du « mouvement », de la découverte progressive, par un visiteur, des mosaïques de la coupole de la Création à Saint-Marc, — c'est-à-dire, en somme une des formes du cinéma descriptif.

En effet, la description de Butor emploie le

8 *La Musique, art réaliste,* in : *Esprit,* janvier 1960, p. 141.

« rythme », le montage et les « plans » de ces
courts métrages, « documentaires » vivants, audacieux, impressionnistes, qui traitent une fresque ou une mosaïque en langage cinématographique total. La camera est en mouvement continu ; elle fait aborder la mosaïque :

« Entrons. Le murmure de la foule s'est
atténué. A droite, la première coupole »,

mais, rapidement l'objectif se fixe sur la surface qu'il va explorer, donnant une impression
de couleur, puis de volume :

« *Ombilic : bleu profond moutonné d'or des
eaux de l'espace avant le premier jour.*

« Pas seulement une architecture de briques
et de marbres et de petits cubes de verre, mais
une architecture d'image.

« IN PRINCIPIO CREAVIT DEUS CÆLUM
ET TERRAM.

« (...) un premier cercle de paroles. Mais une
architecture des textes (...).

« SPIRITUS DEI FEREBATUR SUPER
AQUAS.

« *Bleu sombre un peu verdâtre, le mouvement
des eaux ; une sphère d'espace bleu sombre sur
laquelle la colombe élancée auréolée fait frémir
la pointe acérée de ses plumes comme aux vibra-
tions d'une voix.*

« Les eaux !

« Quel livre !

« Dans la basilique l'histoire du monde formant une boucle »[7].

Avec ses artifices typographiques, et surtout
avec ses passages rapides, sans liaison discur-
sive, d'une image à l'autre, ce texte surprend.

---

[7] *Le Vestibule de Saint-Marc*, N.R.F., octobre 1962.

Si on le relit pourtant, on y trouve, tout simplement, le mouvement d'une camera explorant les mosaïques de la coupole de la Création du Monde, prenant d'abord dans son champ, au sommet du dôme, le bleu du ciel originel (*Ombilic, bleu profond... des eaux de l'espace au premier jour*), puis, en descendant, découvrant l'arrondi de la coupole (*pas seulement une architecture de briques ...mais une architecture d'images*), et laissant lire aux spectateurs les inscriptions en latin écrites en lettres d'or : IN PRINCIPIO CREAVIT DEUS... Et la vision cinématographique ainsi projetée s'arrête sur un des motifs de la mosaïque, « *la colombe élancée, auréolée* », l'écran étant rempli maintemant par cette image, précisée en deux adjectifs : on pourrait la dessiner...

Tout ce qui semble ici composition poétique un peu gratuite, déroutante, serait parfaitement compréhensible (ou plus exactement immédiatement sensible) une fois projeté sur un écran. *Butor emploie ici un langage que nous savons* « *lire* » *au cinéma*, et qui est une *transposition écrite* des panoramiques, des travellings et des séquences auxquels nous sommes parfaitement habitués lorsque nous allons voir un documentaire sur les mosaïques de Saint-Marc de Venise. La question reste de savoir si, en se modifiant, le langage littéraire peut épouser ainsi le langage cinématographique. Car l'image, et même les heurts d'image, sont « parlants » pour nous dans un film. Les mots, moins « visuels », plus abstraits, ne peuvent que difficilement suivre ce rythme et ce procédé d'exploration ou de déroulement.

Nous habituerons-nous à « voir » en mots

comme nous « voyons » en images ? Il reste
que cette *Description de Saint-Marc de Venise*
marque chez Butor le moment où, se détachant
du roman, il s'engage dans des « compositions »,
des « descriptions », des poèmes, où il cherche
à utiliser dans l'écriture les procédés d'arts bien
différents, faisant par exemple de son texte la
« mise en scène » d'une série de mosaïques...

De 1962 à 1964, il semble de plus en plus
attiré, précisément, par ces problèmes de mise
en scène : *Réseau aérien*, drame radiophonique,
cherche à évoquer, uniquement par le moyen
de voix, non seulement un voyage en avion
autour du monde, mais tous les voyages, toutes
les « lignes » qui se croisent dans le ciel.

On y entendra les voix d'un couple, qui part
d'Orly vers l'est, mêlées à celles d'un autre
qui part, sur un deuxième avion, vers l'ouest,
puis celles d'autres voyageurs :

		« Aéroport d'Orly — Aéroport d'Orly »
A⁸		Nouméa.
	j	C'est notre premier grand voyage.
		La moitié du tour de la terre Sans presque rien voir.
		Pas trop émue ? Si, très émue.
B		Peur ?
	i	Non.
		Extraordinaire, on est comme arraché du sol.

8 Les lettres A B C D E désignent des voix d'hommes, les
lettres f g h i j des voix de femmes.

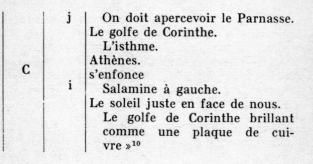

C

     h

Il paraît que le plus désa-
                                             gréable...
Ne t'inquiète pas.
    Je ne m'inquiète pas.
Détends-toi.
    Ça va »[9].

Et tout le poème-drame radiophonique sera fait de ces voix dans l'espace, qui proviennent d'avions différents, qui s'éloignent ou se croisent, comme si nous étions près d'un poste récepteur d'où nous captons simultanément les conversations de l'avion en route pour Nouméa et les conversations de l'avion qui fait route vers Los Angeles... Vues de haut, défilent les villes et les contrées du monde :

C

     i

     j   On doit apercevoir le Parnasse.
Le golfe de Corinthe.
    L'isthme.
Athènes.
s'enfonce
    Salamine à gauche.
Le soleil juste en face de nous.
    Le golfe de Corinthe brillant
    comme une plaque de cui-
    vre »[10]

Cet art, descriptif mais dynamique, dont l'intention pourrait se définir comme celle d'une « mise en scène », et qui joue sur les registres de plusieurs arts différents, devait amener Butor

9 *Réseau aérien*, p. 9, Gallimard, 1962.
10 *Réseau aérien*, p. 15.

à une des formes artistiques les plus complexes ou les plus hybrides : l'opéra, ou ce qui, au xx° siècle, peut remplacer l'opéra. Car même sous sa forme traditionnelle, l'opéra combine éléments visuels, dramatiques, musicaux...

⁂

En collaboration avec le musicien Henri Pousseur, Butor a écrit *Votre Faust*. Sa part, dans cette œuvre, n'est pas celle du traditionnel librettiste, car il ne se borne pas à écrire des paroles qui seront mises en musique, il compose tout un ensemble, un spectacle total.

L'originalité de *Votre Faust* réside dans le fait que Henri Pousseur et Michel Butor y ont découvert que, dans un opéra, le décor, loin de se résumer à des toiles peintes, doit être créé par les bruits, les sons, la musique. Quant au sujet « dramatique », au thème de l'œuvre, il est le problème même de la création ; l'histoire d'un homme qui s'est chargé d'écrire un opéra, et que l'on contraint à abandonner la femme qu'il aime.

L'action elle-même se fond alors dans le décor sonore qui l'entoure : un univers de bruits, de paroles confuses, de jeux de lumières, où passent quelques motifs chantés. Fragments d'airs d'opéras connus, les ritournelles d'une foire, et, parmi les « décors » (purement sonores), un train, ou un bateau, avec leurs bruitages. Sur ce plateau mobile, sur cette scène polyphonique, apparaît un musicien, Henri. Un homme, le meneur de jeu de la pièce, — que l'on appelle le Directeur —, lui passe commande d'un opéra :

frais illimités, nombre illimité d'artistes, cachets illimités. Une seule obligation pour l'auteur-compositeur: cet opéra doit avoir Faust pour sujet...

Pour écrire un Faust, sur les conseils du Directeur, Henri doit changer de vie. Et par exemple, s'inspirer d'une femme qu'il lui fait connaître, la Cantatrice, et oublier une certaine Maggy, fille insignifiante que Henri était sur le point d'aimer... Au cours d'un voyage, de va-et-vient, de scènes dans des décors divers qui sont toujours uniquement suggérés par les bruits et les sons, Henri essaie d'écrire le « Faust » commandé, le Directeur essaie de l'éloigner de Maggy, alors que seule, en réalité, elle peut l'inspirer...

Par un procédé destiné à faire craquer les conventions de l'opéra traditionnel, et toutes les charges de solennité qui pèsent sur lui, l'action dramatique est corsée — et interrompue — par les interventions du public. A un certain moment de la pièce, le public, en effet, est prévenu que, s'il désapprouve le déroulement de l'action, il doit le manifester en intervenant, en appelant de la salle, en votant parfois, en criant « Non ! ». Et, au besoin, dit le meneur de jeu, on recommencera la pièce à tel endroit où elle a déraillé, on modifiera son enchaînement et son dénouement...

Dans la première version prévue, personne dans le public n'intervient en faveur de Maggy, qui meurt sans avoir revu Henri ; Henri, privé d'inspiration, n'écrit pas son opéra. C'était la damnation de Faust, et le Directeur, en somme, était Méphisto... Mais les auteurs de la pièce ont prévu (et préparé à l'avance) que le public choi-

sisse d'autres dénouements. C'est pourquoi il
existe de nombreuses autres versions de la fin
de la pièce[11], que l'on peut substituer à la première au cours de la représentation.

On pourrait songer, au premier abord, à un
procédé bien banal d'appel au public, que l'on
trouve dans les jeux radiophoniques ou télé-
visés. Mais l'intention de Butor est en réalité
bien plus cérébrale et bien plus complexe. En
effet, le « récit » contenu dans *Votre Faust*,
l'aventure que narre la pièce, peut évoluer vers
cinq dénouements différents, à travers cinq trajets différents. On pourrait dire, pour simplifier
(bien que le découpage soit différent) qu'il
existe cinq Actes II sur lesquels peuvent venir
s'emboîter cinq Actes III, ce qui donnerait au
moins vingt-cinq pièces possibles différentes. Et
les auteurs rêvent d'une plus grande souplesse
et d'une plus grande complexité encore, qui rendrait illimité le nombre des solutions si les exé-
cutants étaient capables de réenchaîner, d'im-
proviser, de créer, comme dans une *commedia
dell'arte* idéale.

Votre Faust offrira donc une représentation
théâtrale qui se crée sous les yeux du specta-
teur, et, en un sens, à sa demande : une aventure de tous les soirs. Théoriquement, on pourra
aller voir la pièce tous les jours, et tous les jours
on trouvera une pièce différente, une nouvelle
variation sur le même thème et le même point
de départ. Pour la première fois, apparaîtra une

11 Trois versions « possibles » de *Votre Faust* ont été publiées. La première, dans la *N.R.F.* de janvier-mars 1962 ; la
seconde (dont le premier acte est commun avec la première)
dans la *N.R.F.* d'avril 1962 ; la troisième (dont des parties
sont communes avec la première et la seconde), dans *L'VII*,
printemps 1962.

œuvre dramatique telle que, pour la *connaître,* il faudrait l'écouter pendant un mois, ou presque indéfiniment, sans que jamais elle se répète. Une œuvre *mobile,* et l'on retrouve là (en un autre sens apparemment) les « mobiles » de Calder et de Butor.

L' « attaque » même de la pièce (où l'on voit les musiciens s'asseoir, bavarder, les acteurs se préparer), le procédé qui consiste à y introduire un « Directeur » qui, tout en jouant un rôle dans l'action, dialogue avec le public, tout cela rappelle, dans une atmosphère bien différente, *Le Soulier de satin* ; et le rapprochement se justifie, en ce sens que Claudel avait appris lui aussi à travailler en collaboration avec des musiciens. Et Claudel avait pressenti l'intention de Butor, dans le texte proliférant du *Soulier de Satin,* qui, en somme, comportait des « variantes » dans la mesure où, à la représentation, on devait couper telles ou telles scènes... Mais Michel Butor y ajoute dans *Votre Faust* le principe de la « mobilité » de l'action, dont la ligne, peut, en somme, être modifiée en cours de représentation ; comme dans le cas d'un organiste qui improvise sur les grandes orgues. Le tout dans un univers polyvalent et polyphonique, dans un univers presque purement sonore, qui crée un « espace » sonore et dramatique comme les romans de Butor créaient un espace romanesque et cognitif. La représentation de *Votre Faust exige* d'ailleurs une installation stéréophonique.

Depuis 1960, l'inspiration de Michel Butor se caractérise par la diversité de ses point d'appli-

cation. Si Butor a d'abord été essentiellement
connu comme un romancier du « nouveau roman », dont le but est de faire éclater les formes
traditionnelles du roman, lorsqu'il s'évade lui-
même de la technique romanesque il révèle une
intention plus vaste, qui est de faire éclater les
« genres » tels qu'ils subsistaient encore jusqu'ici : le roman, le poème, l'opéra, la description, la méditation, l'œuvre radiophonique se
confondent, et chacune s'évade de son cadre ;
la « littérature », telle que la conçoit et l'écrit
Michel Butor, est davantage inspirée par la peinture, la musique, le cinéma, que par la tradition
littéraire. Et il semblerait que Butor rêve d'une
œuvre « totale » où tous les « arts » collabore-
raient, à la fois littéraire et audio-visuelle...

Cette ambition correspond aux besoins diffus
et insatisfaits de l'homme de notre temps, qui
est obscurément gêné et mécontent devant un
roman qui n'est qu'un roman, un poème qui
n'est qu'un poème, un morceau de musique qui
n'est que musique — et que, à un niveau évidem-
ment différent, la télévision, le mixage et le ma-
laxage des arts font rêver d'un tableau-poème,
d'un poème-film, puisqu'aussi bien existent déjà
le drame radiophonique et le roman-cinéma.

*
* *

En 1962, *Mobile* était, à propos d'un voyage
aux Etats-Unis, ce qu'un kaléidoscope est à un
récit de voyage. Telle est la différence de technique qui sépare ce reportage poétique qu'est *Mobile* tout éclairé de néons et ponctué de coups de
cymbales, du *Voyage en Amérique* de François-
René de Chateaubriand. C'est qu'entre 1826 et

1962 la littérature a découvert l'art du stéréo-
gramme, que ce soit dans les poèmes de Mallarmé,
dans les *Calligrammes* d'Apollinaire. En 1962
également, sous la forme de « l'évocation radiophonique », Butor découvrait une utilisation
poético-littéraire de la stéréophonie : ce *Réseau aérien* où l'on entend les dialogues simul-
tanés de six à dix personnages, passagers de
trois ou quatre avions épars sur les routes aé-
riennes de la planète.

En 1965, combinant stéréophonie (comme dans
Réseau aérien) et vision stéréoscopique comme
dans *Description de Saint-Marc,* Butor écrit
une évocation lyrique, historique et ironique :
6.810.000 LITRES D'EAU par seconde. C'est le
débit des chutes du Niagara, comme l'indiquera
le moindre « Guide Bleu ». Et tout le livre, ly-
rico-romanesque, mais, surtout, audio-visuel
(comme il est tant à la mode de le dire de nos
jours), est l'évocation, par le texte imprimé et
par le texte écouté, de ce phénomène de Cirque
et de Tourisme Universel que sont ces fameuses
cataractes, *the best attraction in the United
States.*

Tout y est. Par une sorte de défi, Butor a voulu tout y mettre. Cela commence par une phrase
de Chateaubriand, et se termine sur une autre
phrase de Chateaubriand... Entre les deux, tous
ces millions de litres, et tous ces millions de tou-
ristes. Le drame (s'il y en a un), on le comprend
et on l'entend, à travers les phrases, générale-
ment stupides, de ces bêtes à *Car-Tours* qui
viennent contempler cette huitième merveille du
monde, hydraulique et torrentielle. Mais un Niagara, même civilisé par de petits bistrots à l'amé-

ricaine (*ice-cream soda*, naturellement), ne suffit pas à faire un gros livre lyrique de Butor. Il
y ajoute, sans en avoir l'air, toute l'histoire et
la géographie de ce plus Grand Cirque du Monde : de la géologie, des Indiens, des Américains,
des Européens. Des aventuriers du xviii° siècle
et des imbéciles du xx°, chacun parlant sa langue, en phrases amoebées... Cela finit par faire
un pandemonium, dont seul le millénaire Niagara se tire sauf.

Mais quel plaisir de sentir notre « littérature »
un peu statique se mettre à BOUGER, à faire
appel (même à grand renfort de typographies
complexes) à ces autres moyens d'expression
dont elle est trop longtemps restée séparée :
peinture, radiophonie, graphismes, reliefs de la
phrase et du mot, musique, et, même (spéciale-
ment dans ce texte), *bruitages* ! Réussira-t-elle,
cette tentative de *mixage* de formes d'art, qu'un
public souvent atteint de routine et de sclérose,
se refuse à accepter d'emblée sur le plan artistique (alors que, avec sa T. V. quotidienne, il
l'accepte inconsciemment et involontairement
tous les soirs) ? Tout au moins est-ce le mérite
de Butor, romancier-poète-peintre et illusionnis-
te, de proposer, même bien difficilement, cet art
total qui serait un art nouveau.

Il n'y est pas encore parvenu, et qui y par-
viendra ? Même après sa conversion de 1961 au
« non-roman », Butor aurait pu rester un de nos
grands romanciers. C'est à ce titre que l'on peut
le comparer à ses contemporains.

A son entrée dans la vie littéraire, Michel Butor s'est trouvé lié, dans l'esprit de la critique et du public, à tout un mouvement littéraire qui s'affirmait à ce moment-là, et qui reçut d'abord le nom d' « école du regard », puis de « nouveau roman ». C'est pourquoi, à partir de 1958, le nom de Michel Butor est constamment placé à côté de ceux de Nathalie Sarraute, d'Alain Robbe-Grillet, de Claude Simon ou de Claude Mauriac.

Ces rapprochements ne sont pas inexacts ; car, entre ces différents écrivains, il existe un trait commun : le refus du roman « psychologique », qui livre au lecteur une réalité *interprétée* par ce commentateur-psychologue et ce moraliste qu'est le romancier lui-même. Dans le roman traditionnel, les personnages et les événements nous sont « expliqués » par la façon même dont l'auteur nous les présente, car il propose, il décrit, il fait agir des hommes qu'il a compris... Ainsi, entre la réalité et le lecteur, le romancier psychologique interpose sa propre analyse, et ne livre qu'une réalité déjà digérée, mise en forme, interprétée par lui-même : c'est ce que l'on peut appeler la partialité du conteur.

Elle avait déjà été dénoncée en 1925 par Gide dans *Les Faux-Monnayeurs*, et par Breton qui

écrivait en 1928 : « Les jours de la littérature
psychologique à affabulation romanesque sont
comptés »[1]. Mais, de manière plus systémati-
que, Nathalie Sarraute rejette dans *L'Ere du
soupçon* « le personnage anecdotiquement situé,
constitué, identifiable », et E.-M. Cioran con-
damne dans *La Fin du roman* le « sens psychologique ». Dans *Une Voix pour le roman
futur*, Alain Robbe-Grillet fait ressortir l'artifice
de cet « univers de *significations* psychologiques, logiques, sociales, fonctionnelles » qu'est
le roman traditionnel, et propose d'y substituer
une réalité plus élémentaire, de « construire un
monde plus solide, plus immédiat »[2]. Et, en
effet, depuis *Tropismes* (1938), Nathalie Sarraute évoque dans ses romans l'homme au niveau de la conscience naïve, non-interpétée, non
mise en forme, au niveau du balbutiement. En
1953, Robbe-Grillet fonde son premier roman,
Les Gommes, sur la présence des *objets,* faisant presque disparaître les personnages, et les
« gommant » en quelque sorte — ou du moins
renonçant à toute interprétation des personnages par l'auteur. Le roman se présente comme
un monde inexpliqué.

Cette tendance, ce postulat si contraire aux
habitudes françaises du roman psychologique et
moraliste, on les trouve aussi dans les premiers
romans de Michel Butor. *Passage de Milan* nous
livre, à l'intérieur d'une vie collective, des personnages qui se meuvent devant nous sans être
commentés ou expliqués. *L'Emploi du temps*
offre l'énigme objective de la ville de Bleston,

1 André Breton : *Nadja,* p. 120, Gallimard, 1928.
2 Alain Robbe-Grillet : *Une voie pour le roman futur, N.R.F.*
juillet 1956.

et il y a au fond de *La Modification* un drame
psychologique qui, précisément, n'est pas traité
en drame psychologique...

En ce sens, Michel Butor est bien le *contemporain* des écrivains du « nouveau roman ». En
même temps qu'eux, il rompt avec les formes
traditionnelles. Il se trouve soutenu et porté par
ce courant littéraire ; l'étonnement et le scandale que produisent dans le public les romans
de Robbe-Grillet aident les romans de Michel
Butor à s'imposer, et réciproquement... Bien
plus, c'est la même maison d'éditions, les Editions de Minuit, qui lance, à l'origine, aussi bien
Butor que Robbe-Grillet, Claude Simon, Claude
Ollier, Robert Pinget... C'est pourquoi l'on peut
parler d'un « groupe » littéraire, et sur telle
photographie officielle et autorisée[3] on peut voir
Michel Butor bras à bras et coude à coude avec
Nathalie Sarraute, Alain Robbe-Grillet et Claude
Simon.

Cependant, il serait inexact de dire que Michel Butor appartient à une « école » et en applique les règles. Cette image serait aussi fausse
que la légende de la « société des quatre amis »
à l'époque classique ; Molière, Racine, Boileau
et La Fontaine se sont connus simplement comme contemporains — et non comme alliés — ;
ils se sont rencontrés, mais ne se sont pas ligués,
et bien souvent ils s'ignoraient réciproquement
ou étaient en brouille. Si leurs œuvres semblent
avoir des traits communs, c'est qu'ils vivaient,

3 *Les Littératures contemporaines à travers le monde*, p. 47,
Hachette, 1961.

à la même époque, les mêmes problèmes littéraires. Mais, en somme, chacun à sa façon. Et
il en est de même pour les romanciers de la
prétendue « école du nouveau roman », qui ré-
pugneraient certainement à signer un manifeste
collectif ou à reconnaître l'un d'eux comme
porte-parole.

Il serait encore plus inexact de parler d'influences, et il est évident que, si l'art de Butor
comporte parfois les mêmes exclusives et les
mêmes tendances (négatives surtout) que celui
de ses contemporains, Butor n'a cependant point
subi leur influence. Il n'a pu se former, se déclarer, s'engager dans des directions nouvelles, que
de son propre chef.

En effet, les deux grands « manifestes » du
nouveau roman, *L'Ere du soupçon* de Nathalie
Sarraute en 1956, et *Une Voix pour le roman futur* de Robbe-Grillet en 1956 également, sont
postérieurs au premier roman de Butor, *Passage de Milan,* en 1954. *La Fin du roman,* de E.-M.
Cioran (qui d'ailleurs n'est pas romancier et n'a
jamais été classé dans cette école) est de 1953 ;
de 1953 aussi le premier roman de Robbe-Grillet,
Les Gommes, et le *Martereau* de Nathalie Sarraute : on ne peut penser que ces textes aient
« influencé » *Passage de Milan,* que Butor avait
déjà presque achevé lorsqu'ils parurent. Et le
premier roman marquant de Claude Simon, *Le
Vent,* paraît en 1957, comme *Graal Flibuste,* le
premier roman marquant de Robert Pinget.
Quant à Claude Mauriac, c'est quelques années
plus tard qu'il rejoint cette « école » romanesque.

Ainsi, lorsque Michel Butor écrivait en 1953
Passage de Milan, la future « école du nouveau

roman » n'existait que par *Tropismes* de Nathalie Sarraute en 1938 (et *Portrait d'un inconnu*
en 1947) ; par des ouvrages de jeunesses de Pinget ou de Claude Simon dont l'intention était
entièrement différente. Et enfin, Samuel Beckett
avait publié *Murphy* en 1947 et *Molloy* en 1951,
mais le monde de néant métaphysique de
Beckett n'est pas le monde « objectif » de
Robbe-Grillet, ni la passion du déchiffrement de
Michel Butor... Aussi, en 1953 ou 1954, lorsque
Butor prend date avec *Passage de Milan* (qui
n'eut point d'ailleurs un grand succès), nul
n'aurait pu imaginer que ce nouveau romancier
allait être rattaché plus tard à une « école », ou
même à un groupe littéraire, qui ne s'étaient encore constitués dans l'esprit de personne. S'il fut
accueilli par le même éditeur que Robbe-Grillet,
Claude Simon ou Claude Ollier, c'est qu'il existait depuis plus d'un demi-siècle (depuis le post-
symbolisme, depuis *Paludes,* et aussi depuis
Proust, Joyce, Breton, etc...), une tendance au
roman-mise-en-question-du-roman à laquelle cet
éditeur était favorable.

On ne saurait donc expliquer l'œuvre de Michel Butor par celle d'un groupe littéraire constitué par ses contemporains. Sa vocation est per-
sonnelle; si elle rejoint sur certains points celle
de quelques-uns d'entre-eux, c'est par cette
coïncidence qui fait qu'à un certain moment de
l'évolution de la sensibilité littéraire, de jeunes
écrivains qui ont les mêmes goûts et les mêmes
dégoûts se rencontrent sans le vouloir.

Mais il peut être intéressant, pour marquer
l'originalité propre de Butor, de relever les différences.

S'il a modifié le style, la construction et l'optique de l'œuvre littéraire narrative, le « Nouveau Roman » l'a fait *en reprenant l'évocation du monde à des « niveaux » autres que ceux du récit traditionnel,* mais fort différents entre eux. La première dans ce « groupe », Nathalie Sarraute, avait en somme tenté de pousser plus loin l'expérience de Virginia Woolf : alors que Virginia Woolf exprimait le papillottement des *sentiments,* Nathalie Sarraute transcrit les « tropismes », les *réflexes élémentaires* des êtres humains. Sous forme de langage à peine articulé, dans des haillons de phrase sans cesse troués par le signe typographique des trois points, elle s'applique à ne livrer que le langage de l'hébétude, de la demi-conscience ou du bavardage étourdi : « Mais là... Vraiment... là, Honnêtement... est-ce que quelque chose ne vient pas de se passer ?... je suis obligé... franchement... je ne peux pas le nier... J'avoue que là, il me semble que je perçois... je n'y peux rien... j'entends un très faible son... (...) les ondes, d'un mot à l'autre, d'une phrase à l'autre se propagent (...) que voulez-vous, il vous faut, à vous, pour que vous entendiez, des cris, des roulements de tambour... Mais moi, il faudrait pour ne rien entendre me boucher les oreilles... les mots me paraissent maintenant plus lourds... »[4].

Ce langage d'amibe, ce langage subjectif et élémentaire, n'a rien à voir avec l'expression de Michel Butor. Si Michel Butor nous met aussi les yeux au ras du monde, c'est cependant pour nous proposer un déchiffrement très intellectuel

---

[4] Nathalie SARRAUTE : *Les Fruits d'Or,* pp. 38-39, Gallimard, 1963.

et très cérébral, alors que Nathalie Sarraute nous enferme dans les tiédeurs de la sous-conscience.

C'est seulement à partir de 1953 qu'Alain Robbe-Grillet va employer à son tour une vision propre à dérouter : la simple et interminable description d'objets (et, parfois, de quelques gestes ou actes) qui suggèrent une action romanesque et un drame humain. En fait, il prenait le contre-pied de Nathalie Sarraute, en utilisant la réalité extérieure élémentaire comme Nathalie Sarraute avait utilisé la réalité intérieure élémentaire, s'appliquant à la description minutieuse qui rend obsédant le décor au détriment des personnages: « Il a neigé ; et la neige n'a pas encore fondu. Elle forme une couche assez peu épaisse — quelques centimètres — mais parfaitement régulière, qui recouvre toutes les surfaces horizontales de la même couleur blanche (...). Les seules traces qui s'y remarquent sont les sentiers rectilignes, parallèles aux files d'immeubles et aux caniveaux encore bien visibles (...), et séparant les trottoirs en deux bandes inégales dans toute leur longueur »[5].

Michel Butor semble aussi avoir parfois la même application descriptive, mais — différence énorme ! —, la longue phrase descriptive est chez lui *vécue* par une conscience qui dit « Je » et s'efforce de déchiffrer le monde, au lieu de l'objectivité impersonnelle de Robbe-Grillet : « Les jours enfin de plus en plus souvent presque bleus (mais que l'on est loin encore de cet azur qui règne sur les esplanades (...), les cornes,

---

[5] Alain Robbe-Grillet : *Dans le Labyrinthe*, p. 23. Ed. de Minuit, 1959.

les cours et les escaliers des palais ruinés de la
Crète, si j'en puis croire ce documentaire que
je suis retourné voir le lendemain dans le Théâtre des Nouvelles où il ne passe plus aujour-
d'hui (...), les jours, à chaque reprise, mordaient
un peu plus, semblables aux vagues montantes
de la marée, mordaient quelques instants de
plus sur le sable du soir, et maintenant, semaine
du solstice, leur progression s'est arrêtée comme s'ils avaient rencontré un obstacle ou qu'ils
fussent parvenus à la limite de leur force »[6].

Cette phrase sans cesse reprise, proche, en
prose, de ce que serait en poésie le verset, offre
certes la même complexité que la phrase descriptive de Robbe-Grillet. Mais non la même
« objectivité ». Combinant à la fois l'élan et le
ressassement, elle exprime cependant l'activité
d'une conscience, un effort subjectif de déchiffrement du monde, alors que les textes de
Robbe-Grillet se veulent « enregistrement objectif », privés, le plus possible, de l'intervention
d'une conscience. Robbe-Grillet photographie,
alors que Michel Butor *parle*.

C'est pourquoi Michel Butor serait en somme
plus proche de Claude Mauriac qui, lui aussi,
comme Butor dans ses principaux romans, joue
sur plusieurs plans de la conscience, sur le passé
et le présent, sur les simultanéités et les retours
en arrière. Dans *Le Dîner en ville* (1959) ou
dans *La Marquise sortit à cinq heures* (1961),
Claude Mauriac présente aussi un mélange de
conscience, d'événements, une réalité inextrica-
ble, des superpositions du présent et du passé,
des raccourcissements du temps, mais en lais-

6 *L'Emploi du temps*, p. 115.

sant toujours sentir un « auteur », un « metteur
en scène » ou un « observateur » qui domine et
régit ce carrousel, que l'écrivain définit lui-
même : « Monologues intérieurs les uns par les
autres alertés ; continués, nourris, déviés et
transformés (questions et réponses muettes) en
dialogue intérieur »[7]. Ce souci même de la construction, et cet art de la rendre visible sans lui
ôter son intention ésotérique, rapprochent Claude Mauriac de Michel Butor.

Entre Butor et ses contemporains, malgré les
différences de styles et d'intention, il existe en
effet une parenté, qui était inévitable : le fait
que le roman, parce qu'il ne veut plus être un
récit unilinéaire pourvu d'une logique artificiel-
le, devienne une énigme et un labyrinthe, expression d'un « massif » impénétrable de la réalité. C'était déjà le cas de *Passage de Milan* en
1954 comme, chez Robbe-Grillet, des *Gommes*
en 1953 et de *Dans le Labyrinthe* en 1959.

Claude Simon aussi (mais après 1954), traite
de grands ensembles, offre une réalité coruscan-
te et ténébreuse à la fois, que le lecteur est invité
à déchiffrer. Et, par exemple, *Le Palace* (1962)
a pour « personnage », comme *Passage de Milan*, un immeuble où s'entrecroisent des destinées. Mais un immeuble rococo du début du XXe
siècle, à Barcelone, ancien Grand Hôtel à l'architecture stupéfiante, dont la Guerre Civile a
fait le quartier général d'une armée désordon-
née.

---

[7] Claude MAURIAC : *L'Agrandissement*, p. 73, Albin Michel,
1963.

Le Palace est un pandémonium qui tient de Rabelais, de Joyce, de Faulkner... et de Robbe-Grillet. Le style même est à la fois étincelant et confus, appliqué et lyrique, comme dans cette évocation de trois combattants barcelonais de 1936 au repos dans un hôtel désaffecté : « sur le panneau de gauche de la fenêtre (au-dessus de la petite table supportant la machine à écrire, disposée en diagonale de la pièce) un plan de la ville avec ses pâtés de maisons figurés en jaune, ses rues tracées en quadrillage régulier comme une grille d'égoût, disait l'Américain, et si on la soulevait on trouverait (...) le cadavre d'un enfant mort-né enveloppé dans de vieux journaux (...) ; le type à tête de maître d'école qui se tenait derrière la petite table sur sa chaise (ou plutôt sa cathèdre) d'évêque allemand de la Réforme le regardant (...) d'un air désapprobateur, disant : « oh, arrête ! », l'Américain assis sur une fesse sur le rebord de la longue table de réfectoire achevant de pousser la dernière balle dans le chargeur à ressort, faisant glisser le chargeur dans la crosse de son énorme revolver... »[8].

Dans un texte de cette nature, Claude Simon, avec audace, avec défi (en souvenir de Joyce et de Miller), jouit des plaisirs du langage, du scandale, du picaresque, dans un esprit rabelaisien. Les intentions de Michel Butor sont entièrement différentes. Lui aussi utilise quelquefois l'accumulation, la phrase longue jusqu'à l'absurdité syntaxique, mais sans chercher ce pittoresque dense et échevelé. Butor n'a rien de rabelaisien, et rien ne le lie à Miller, par qui

8 Claude SIMON : *Le Palace*, pp. 16-17, Ed. de Minuit, 1962.

Claude Simon semble au contraire obsédé. Butor reste neutre, cérébral, il refuse ce lyrisme picaresque qui soutient les livres de Claude Simon. On ne retrouverait donc rien de cet « exotisme », et de ce « pittoresque », car Butor a choisi, pour chacun de ses quatre grands romans, le cadre le plus banal ou l'anecdote la plus médiocre de manière à faire, à la manière valéryenne, un « exercice de l'esprit », de ce dont un Claude Simon fait un texte lyrique et baroque.

C'est l'absence de lyrisme qui — dans le roman du moins — sépare Butor de nombre de ses contemporains de la pseudo-école du Nouveau Roman : des compositions à la Dürer de Claude Simon, de l'ironie acide de Robert Pinget dans sa première manière (*Baga*), et de la voix sépulcrale de Samuel Beckett. On peut caractériser un Robbe-Grillet par quelque expression comme » objectif et baroque », et un Claude Simon par « baroque et lyrique » ; on devrait ajouter, pour Beckett, cette absurde notion que l'on appelle, en littérature, « métaphysique »... Mais Michel Butor n'est ni objectif, ni baroque, ni métaphysique... Et son seul trait commun avec les romanciers qui sont ses contemporains se réduirait en somme au fait qu'ils sont tous fils de James Joyce...

Dans son temps, et toutes choses changées, sa vocation semble ce que fut celle de Valéry en face de Giraudoux, de Proust, de Cocteau (pour ne pas parler des moralistes, de Montherlant, de Gide, de Bernanos, qui n'ont pas d'équivalents dans notre époque). Dans la génération où sont apparues les tendances du « nouveau roman »,

il est le cérébral-esthète ; aussi « concret » qu'il
est permis de l'être à un artiste, aussi abstrait
que peut le devenir un écrivain dont la passion
est de décrire le monde. Dans son œuvre passée,
dont nous avons voulu faire ressortir la signifi-
cation, aussi bien que dans son œuvre en cours,
Michel Butor exprime très exactement la vision
romanesque et esthétique que l'on peut prendre du monde en 1964, si l'on est né en 1926,
quelques décennies après Schroedinger, Eins-
tein, Picasso, Mondrian, Alban Berg, Joyce, Bachelard.

BIBLIOGRAPHIE

A. — TEXTES DE MICHEL BUTOR

1. — Ouvrages parus en librairie.

Passage de Milan, roman, Editions de Minuit, 1954.

L'Emploi du temps, roman, Editions de Minuit, 1956.

La Modification, roman, Editions de Minuit, 1957.

Le Génie du lieu, Grasset, 1958.

> Cet ouvrage contient les textes suivants, dont certains avaient paru en revue : *Istanbul* (*Monde Nouveau*, 1955) — *Cordoue* (*Les Lettres Nouvelles*, mars 1956) — *Salonique* (*N.R.F.*, décembre 1956) — *Delphes* (*Lettres Nouvelles*, janvier 1957) *Louqsor* (*Lettres Nouvelles*, avril 1958) — *La splendeur de Mantoue* (*France-Observateur*, 1958) — *Mallia* (*Les Nouvelles Littéraires*, 1958) — *Ferrare* — *Egypte*.

Répertoire, Editions de Minuit, 1956.

> Cet ouvrage contient les textes suivants, dont certains avaient paru en revue : *Petite croisière préliminaire pour une reconnaissance de l'archipel Joyce* (*La Vie intellectuelle*, mai 1948) — *Le point suprême et l'âge d'or à travers quelques œuvres de Jules Verne* (*Arts et Lettres*, nº 15) — *Sur les procédés de Raymond Roussel* (*Rixes*, mai-juin 1950) — *La Répétition et Les Moments de Marcel Proust* (*Monde Nouveau*, 1950) — *Une Possibilité* (sur Kierkegaard, 1950-1956) — *La Crise de croissance de la Science-Fiction* (*Cahiers du Sud*, janvier 1953) — *L'Alchimie et son langage* — *Sur le « Progrès de l'Ame » de John Donne* (*Cahiers du Sud*, janvier 1954) — *La Balance des Fées* — *Le Roman comme recherche* (*Cahiers du Sud*, mars 1956) — *Une autobiographie dialectique* — *Les relations de parenté dans « L'Ours » de William Faulkner* (*Les Lettres Nouvelles*, mai 1956) — *La Tentative poétique d'Ezra Pound* — *Esquisse d'un seuil pour Finnegan* (*N.R.F.*, décembre 1957) — *« Le Joueur » de Dostoïevski* — *Racine et les Dieux* (*Les Lettres Nouvelles*, juin 1958) — *Balzac et la réalité* (*N.R.F.*, août 1959) — *Sur « Les Paradis artificiels »* (1959) — *Sur « La Princesse de Clèves »* (1959)

> — *Intervention à Royaumont* (1959).

Degrès, roman, Gallimard, 1960.

Histoire extraordinaire, essai sur un rêve de Baudelaire, Gallimard, 1961.

Mobile, étude pour une représentation des Etats-Unis, Gallimard, 1962.

Réseau aérien, texte radiophonique, Gallimard, 1962.

Description de San Marco, Delpire, 1963 ; et Gallimard, 1964. Texte partiellement publié dans *La Coupole de la Création* (*N.R.F.*, octobre 1962), *La Place Saint-Marc* (*Livres de France*, juin 1963), *L'Histoire de Joseph* (*Cahiers du Sud*, juin-juillet 1963), *L'Intérieur de Saint-Marc* (*N.R.F.*, juillet, août et septembre 1963).

Répertoire II, 1964, Editions de Minuit. Cet ouvrage comporte les textes suivants, dont certains déjà publiés en revue : *La Musique, art réaliste* (*Esprit*, janvier 1960) — *L'Usage des pronoms personnels dans le roman* (*Les Temps Modernes*, février 1961) — *Le Roman et la poésie* (*Les Lettres Nouvelles*, février 1961 ; autre version dans *Annales du Centre Méditerranéen*, 15ᵉ vol., 1961-1962) — *Œdipus Americanus* — *Individu et groupe dans le roman*, (*Cahiers du Sud*, fév.-mars 1962) — *Babel en creux* (*N.R.F.*, avril-mai 1962) — *La Littérature aujourd'hui* (*Tel Quel*, automne 1962) — *Le Livre comme objet* (*Critique*, novembre 1962).

Votre Faust, en collaboration avec Henri Pousseur. Cet opéra est un texte « mobile », construit pour présenter une infinité de variantes. Une version de la pièce a été publiée dans la *N.R.F.*, janvier, février et mars 1962 ; une autre version possible des actes II et III figure dans la *N.R.F.* d'avril 1962 ; une autre forme encore dans la revue *L'VII* du printemps 1962. Dans *Médiations* de l'été 1963, une autre variante, et un sommaire.

Essai sur les Modernes, Gallimard, 1964. Sous forme de Livre de Poche, ce volume reproduit des textes déjà publiés dans *Répertoire I* et dans *Répertoire II*.

6.810.000 litres d'eau par seconde, Gallimard, 1965.

Portrait de l'artiste en jeune singe, roman, Gallimard, 1967.

Essais sur les « Essais », Collection « Les Essais », Gallimard, 1968. Egalement publié comme Introduction aux *Essais* de Montaigne (3 vol.) dans la Collection 10 × 18.

Répertoire III, Editions de Minuit, 1968. Cet ouvrage contient les textes suivants, parfois déjà publiés en revue : *La critique et l'invention* — *Sur l'archéologie* — *Sites* — *Un tableau vu en détail* — *La Corbeille de l'Ambrosienne* — *L'Ile au bout du monde* — *Diderot le fataliste et ses maîtres* — *Trente six et dix vues du Fuji* — *Les parisiens en province* — *La voix qui sort de l'ombre* — *Germe d'encre* — *Claude Monet ou le monde renversé* — *Lectures de l'enfance* — *La suite*

dans les images — Monument de rien pour Apollinaire —
Le carré et son habitant — Heptaedre Héliotrope — Les mos-
quées de New-York et l'art de Mark Rothko — Sous le
regard d'Hercule — L'opéra, c'est-à-dire le théâtre — La
littérature, l'oreille et l'œil.

2. — Traductions et préfaces.

Traduction de *La Théorie du champ de conscience*, de A.
  Gurwitsche, Desclée De Brouwer, 1957.

Préface à *Finnegan's Wake*, de James Joyce, Gallimard, 1957.

Préface au *Joueur* de Dostoïevski, Le Livre de poche, 1958.

Traduction de *Tout est bien qui finit bien*, de Shakespeare,
  Ed. Formes et reflets, 1958.

« *Imaginez* », dans : *Le Poème électronique de Le Corbusier*,
  Ed. de Minuit, 1958.

Préface à *La Proie des flammes*, de W. Styron, Gallimard, 1961
  (texte repris dans *Répertoire*).

3. — Poèmes.

Poèmes anciens, Les Lettres Nouvelles, 1958.

Poèmes écrits en Egypte, Cahiers du Sud, juillet 1959.

Rat — Lièvre — Hareng, Cahiers des Saisons, automne 1959.

Souvenirs d'enfance, L'VII, printemps 1961.

Pérégrinations, Tel Quel, automne 1961.

La Banlieue de l'aube à l'aurore, L'VII, printemps 1962.

Hespérides, L'VII, printemps 1963.

Illustrations, Gallimard, 1964.

Litanies d'eau, Galerie La Hune, 1964.

Dans les flammes, Revue « Tel Quel », Hiver 1966.

Paysage de Répons, suivi de *Dialogue des Règnes*, Editions
  Castella, Albeuve, 1968.

4. — Textes publiés en tirage limité ; textes publiés en revue.

a) littérature et critique littéraire

La Conversation, nouvelle, Cahiers des Saisons, n° 9, 1957.

L'Espace du roman, Les Nouvelles littéraires, 1961.

Le Critique et son public, L'Europa letteraria, oct. 1961.

Cervantes, Les Nouvelles Littéraires, 5 oct. 1961.

Mallarmé selon Boulez, L'Express, juin 1961.

« *L'attente, l'oubli* », de Maurice Blanchot, Le Monde, mai 1962.

Carlo Emilio Gadda, L'Express, mai 1963.

Victor Hugo romancier, Tel Quel, hiver 1964.

Chateaubriand et l'ancienne Amérique, N.R.F., décembre 1963.

La Fascinatrice (étude littéraire sur Roland Barthes), *Les Cahiers du Chemin,* octobre, 1966, Gallimard.

Emile Zola, le roman expérimental et la flamme bleue, Revue Critique, avril 1967.

b) essais sur la peinture

Hommage partiel à Max Ernst, Vrille, juillet 1945.

Un Tableau vu en détail, Monde Nouveau, 1955.

Zañartu, Galerie du Dragon, 1958.

Hérold, essai sur la peinture. Galerie « La Cour d'Ingres, 1959, et Ed. Georges Fall, 1964.

Max Ernst, Critique, décembre 1959.

L'Age mécanique, Les peintres témoins de leur temps, 1960.

Pour Gregory Masuravski, La Hune, 1960.

Hokusaï I, Les Lettres Françaises, 1961.

Hokusaï II, Réalités, août 1961.

L'Art contemporain jugé par ses sources, Les Lettres Nouvelles, février 1961.

Conversation dans l'atelier (sur B. Saby), *L'Œil,* juillet-août 1961.

Diorama pour le Museum, Sh'ir, Beyrouth, 1961.

La Peinture se repeuple, Figures, septembre 1961.

Kujovski à Darmstadt, Les Lettres Nouvelles, juillet 1961.

Au gouffre du modèle, XX siècle,* juin 1962.

Claude Monet ou le monde renversé, Arts de France, janvier 1963.

Conversation dans l'atelier : Bernard Dufour, L'Œil, avril 1963.

La Peinture surréaliste, Cahier bicolore, mars 1963.

c) poésie sur la peinture

Rencontre, Galerie du Dragon, 1962.

Cycle (sur neuf gouaches d'Alexandre Calder), Galerie La Hune, 1962.

Seigle, Galerie Charpentier, 1963.

d) poésie sur le voyage et le « génie du lieu »

Les Européens et les Bostoniens, Monde Nouveau, 1955.

Itinéraires parisiens, L'Œil, juillet 1958.

Palerme, L'Arc, printemps 1959.

Première vue de Philadelphie, Les Lettres Nouvelles, décembre 1960.

Les Montagnes Rocheuses, Réalités, juillet 1962.

B. — PRINCIPALES ETUDES SUR MICHEL BUTOR

I. — Textes publiés en librairie.

« *Livres de France* », juin 1963.

R.-M. ALBÉRÈS : *Michel Butor*, Ed. Universitaires, 1964.

Jean ROUDAUT : *Michel Butor ou le livre futur*, Gallimard 1966.

Georges CHARBONNIER : *Entretiens avec Michel Butor*, Gallimard, 1967.

Georges RAILLARD : *Butor*, Collection « La Bibliothèque Idéale », Gallimard, 1968. (Cet ouvrage contient la Bibliographie la plus complète qui existe actuellement sur Michel Butor).

II. — Quelques études parues en revue.

Bernard DORT : *L'Emploi du Temps, Cahiers, du Sud*, déc. 1956.

Philippe JACCOTTET : *L'Emploi du Temps*, Gazette de Lausanne, 13 janvier 1957.

Jean POUILLON : *Les Règles du « Je »*, Les Temps Modernes, avril 1957.

Jacques HOWLETT : *La Modification*, Les Lettres Nouvelles, décembre 1957.

Michel LEIRIS : *Le réalisme mythologique de Michel Butor*, Critique, février 1958.

« *Michel Butor* », dans *Le Nouveau Roman*, numéro spécial de la revue « Esprit », juillet-août 1958.

Bernard PINGAUD : *Je, Vous, Il*, Esprit, juillet-août 1958.

« *Michel Butor* », dans *Ecrivains d'aujourd'hui* (pp. 147-157), sous la direction de Bernard PINGAUD, Grasset, 1960.

Jean ROUDAUT : *Michel Butor, critique* (sur *Répertoire*), Critique, juillet 1960.

Jean-Luc SEYLAZ : *La tentative romanesque de Michel Butor, de L'« Emploi du Temps » à « Degrés »*, Etudes de Lettres, Lausanne, oct.-déc. 1960.

O. MANNONI : *Le Malentendu universel* (sur *Histoire extraordinaire*), Les Temps Modernes, mai 1961.

Léo SPITZER : *Quelques aspects de la technique des romans de Michel Butor*, Archivum Linguisticum (Jackson, Son and Cy, Glasgow), vol. 13, fasc. 2 (1961) et vol. 14, fasc. 1 (1962).

Roland BARTHES : *Littérature et discontinu* (sur *Mobile*), Critique, oct. 1962.

BOISDEFFRE (Pierre de) : *Sur « Mobile »*, dans *La Revue de Paris*, mai 1962.

Raymond JEAN : *Mobile, Alabama, U.S.A.*, Europe, nov.-déc. Cahiers du Sud, n° 367, 1962.

Raymond JEAN : *Mobile, Alabama, U.S.A.*, Europe, nov.-déc. 1962.

Jean ROUDAUT : *« Mobile », une lecture possible*, Les Temps Modernes, nov. 1962.

Georges RAILLARD : *Les éléments baroques dans « L'Emploi du temps »*, Annales de la Société Internationale des Etudes Françaises, 1962.

Georges RAILLARD : *Michel Butor, notre contemporain*, Livres de France, juin-juillet 1963.

Léonce PEILLARD : *Un entretien avec Michel Butor*, Livres de France, juin-juillet 1963.

Matthieu GALEY : *Etre ou ne pas être romancier*, Arts, 8 avril 1964.

Lucien GUISSARD : *Deux jeunes écrivains, J.-M. Le Clézio et Michel Butor*, La Croix, 7 mai 1967.

Alain BOSQUET : *Une prose poétique*, Combat, 9 décembre 1967.

Madeleine CHAPSAL : *Entretiens avec Michel Butor*. La Quinzaine Littéraire, février 1968.

TABLE DES MATIERES

Avant-Propos 5

I. — Réalisme et ésotérisme : *Passage
de Milan* (1954) 11

II. — Labyrinthes en relief : *L'Emploi
du temps* (1956) 25

III. — Mythologies romanesques : le roman transcendantal 43

IV. — Le « classique » de Michel Butor :
La Modification (1967) ; et *Portrait de l'Arstiste en jeune singe*
(1967) 65

V. — Stéréoscopie à quatre dimensions : *Le Génie du lieu* (1958) ;
Degrés (1960) 77

VI. — Mobiles : *Mobiles* (1962) ; *Description de Saint-Marc* (1963) ;
Votre Faust (1964) ; 6.810.000
litres d'eau par seconde (1965) 89

VII. — Michel Butor et ses contemporains 107

Bibliographie :

Textes de Michel Butor 119

1. Ouvrages parus en librairie 119

2. Traductions et préfaces 121

3. Poèmes 121

4. Textes publiés en tirage limité ; textes publiés en revue 121

Principales études sur Michel Butor 123